JN437669

어휘편

GRAMMATIK

독문법 강의록

신형욱 · 김백기 지음

HU:iNE

독문법 강의록 – 어휘편

초판 1쇄 발행 2012년 3월 15일
초판 2쇄 발행 2017년 4월 4일

지은이 신형욱·김백기
발행인 김인철
총괄·기획 가정준 Director, University Press
편집장 신선호 Executive Knowledge Contents Creator
도서편집 김민정 Contents Creator
전자책편집 최인우 Chief e-Contents Creator
재무관리 김은혜 Managing Creator
발행처 한국외국어대학교 지식출판원
02450 서울특별시 동대문구 이문로 107
전화 02)2173-2493~7
FAX 02)2173-3363
홈페이지 http://press.hufs.ac.kr
전자우편 press@hufs.ac.kr
출판등록 제6-6호(1969. 4. 30)
디자인·편집 (주)이환디앤비 02)2254-4301
인쇄·제본 네오프린텍 02)718-3111

ISBN 978-89-7464-723-0 14750
ISBN 978-89-7464-719-3 (세트) 세트정가 62,000원

* 잘못된 책은 교환하여 드립니다.

HU:iNE 은 한국외국어대학교 지식출판원의 어학도서, 사회과학 도서, 지역학 도서 Sub Brand이다. 한국외대의 영문명인 HUFS, 현명한 국제전문가 양성(International+Intelligent)의 의미를 담고 있으며, 휴인(携引)의 뜻인 '이끌다, 끌고 나가다' 라는 의미처럼 출판계를 이끄는 리더로서, 혁신의 이미지를 담고 있다.

Aachen [고유명사] (도시 명) 아헨

ab [분리전철&부사어] 떼어진, 떠난 (영. off, away)

Abend, *der* (복수: die Abend*e*) 저녁 ; am Abend 저녁에 ; zu Abend essen 저녁식사 하다 ; Guten Abend! "안녕하세요!" (영. Good evening!)

Abendessen, *das* (복수: die Abendessen) 저녁식사 ; beim Abendessen 저녁식사 때

aber [대등접속사] 그러나, 하지만

abfahren (분리동사: fahren ... *ab*) [자동사] (차량을 타고) 출발하다, 떠나다

* 3 기본형: *ab***fahren** - *ab***fuhr** (**fuhr** ... *ab*) - *ab***gefahren**

* 현재 시제, 단수 2, 3인칭 불규칙 변화: du fähr*st* ... *ab* ; er fähr*t* ... *ab*

abfährt ⇒ 분리동사 *ab*fahren의 현재 시제: 주어가 ***er***, ***sie***, ***es***일 때

Abflug, *der* (복수: die Abflüg*e*) 비행

abgefahren ⇒ 분리동사 *ab*fahren의 과거분사(= pp형)

abholen (분리동사: holen ... *ab*) [타동사]

① *누구*를 마중 나가 데려오다, *누구*를 데리러 가다

② *무엇*을 가져오다, *무엇*을 찾아오다 (영. pick up)

* 3 기본형 규칙 변화: *ab*hol***en*** - *ab*hol***te*** (hol***te*** ... *ab*) - *ab****ge***hol***t***

Abitur, *das* (복수: die Abitur***e***, 보통 *단수* 사용!) (독일 김나지움의 졸업시험) 아비투어

Abkommem, *das* (복수: die Abkommen) 협정, 협약

ablehnen (분리동사: lehnen ... *ab*) [타동사] ...을 거부하다, 부정하다

* 3 기본형 규칙 변화: *ab*lehn***en*** - *ab*lehn***te*** (lehn***te*** ... *ab*) - *ab****ge***lehn***t***

abnehmen (분리동사: nehmen ... *ab*) [자동사] 체중을 줄이다

* 3 기본형: *ab***nehmen** - *ab***nahm** (**nahm** ... *ab*) - *ab***genommen**

* 현재 시제, 단수 2, 3인칭 불규칙 변화: du nimm*st* ... *ab* ; er nimm*t* ... *ab*

Abreise, *die* (복수: die Abreise***n***, 보통 *단수* 사용!) 여행, 여행을 떠남

abreisen (분리동사: reisen ... *ab*) [자동사] 여행하다, 여행을 떠나다

* 3 기본형 규칙 변화: *ab*reis***en*** - *ab*reis***te*** (reis***te*** ... *ab*) - *ab****ge***reis***t***

abschicken (분리동사: schicken ... *ab*) [타동사] (우편물을) 보내다, 발송하다
* 3 기본형 규칙 변화: *abschicken* - *abschickte* (schick*te* ... *ab*) - *abgeschickt*

Abschnitt, *der* (복수: die Abschnitt*e*) (글, 텍스트의) 단락

abwarten (분리동사: warten ... *ab*) [자동사] 기다리다
* 3 기본형 규칙 변화: *abwarten* - *abwartete* (wart*ete* ... *ab*) - *abgewartet*

acht [수사] 8, 여덟

ach*t*- [수사: *서수*] 여덟째, 제8의

achten [자동사] : 「auf etw.[4] (j-n.) achten」 *무엇(누구)*에 주의하다 (영. pay attention to ...)

achtzehn [수사] 18

achtzig [수사] 80

Adresse, *die* (복수: die Adresse*n*) 주소

Affe, *der* (복수: die Affe*n*) 원숭이

Afrika [고유명사] (대륙 명) 아프리카

ahnen [타동사] ...을 예감하다, 예견하다, 알아채다
* 3 기본형 규칙 변화: ahn*en* - ahn*te* - *ge*ahn*t*

Ahnung, *die* (복수: die Ahnung*en*) 앎, 지식 ; Keine Ahnung! "모르겠어." ; 「j-d.[주어] hat keine Ahnung」 *누구*는 모르다.

Alex [고유명사] (남자 혹은 여자 이름) 알렉스

Alkohol, *der* (복수: die Alkohol*e*, 보통 *단수* 사용!) 알코올, 술

Alkoholgehalt, *der* (복수: die Alkoholgehalt*e*, 보통 *단수* 사용!) 알코올 함유량

all- [부정수사] 모든 ... ※*정관사 d-* 어미변화! ; 「all*e* + *복수*명사」 모든 ...들 (영. all)

alle 모든 사람들, 모든 것들

allein [형용사] 혼자인 ; (부사적) 홀로

allerdings [부사] 물론, 그러나 (영. though ; to be sure)

alles [부정대명사] 모든 것

Alpen, *die* (항상 *복수*임!) 알프스 산

Alphabet, *das* (복수: die Alphabet*e*) 알파벳

als [종속접속사]

① (과거의 한 시점) ...했을 때 (영. when, as)

② (비교급 비교) '...보다 더 ...' (영. than)

③ (접속법 II 문장과 함께) 「..., als ob ...」, 「..., als wenn ...」 '마치 ...인 듯' (영. as if)

④ (자격) ...로서 (영 as)

also [부사어] (논리적 귀결) 그러므로, 따라서 (영. therefore)

alt [형용사] 늙은, 낡은 ; wie alt? 나이가 얼마나 된? (영. how old?)

* 3 비교형: alt - **ä**lt***er*** - **ä**lte***st***

älter ⇒ 형용사 alt의 비교급 형태

am ⇒ "an dem"의 축약형 ; 「**am** + 최상급 ***-en***」 가장 ...한, 가장 ...하게 : am besten 가장 잘, 가장 좋게 ; am wichtigsten 가장 중요한

Amerika [고유명사] ① (국가 명) 미국 ② (대륙 명) 아메리카

Amerikaner, *der* (복수: die Amerikaner) 미국인, 미국 남자

Amerikaner*in*, *die* (복수: die Amerikanerin***nen***) 미국 여자

amerikanisch [형용사] 미국의, 미국인의 ; (부사적) 미국적으로

an [***3 · 4격*** 전치사] ① (***3격***: 위치) ~옆에, ~에 ② (***4격***: 방향) ~옆으로, ~로 (영. at, on)

an [분리전철&부사어] ~옆에, 옆으로 (영. on)

Analphabet, *der* (복수: die Analphabet***en***) 문맹인

***an*bieten** (분리동사: bieten ... *an*) [타동사] ...을 제공하다

* 3 기본형: *an***bieten** - *an***bot** (**bot** ... *an*) - *an***geboten**

ander- [형용사] 다른 ※뒤에 오는 명사를 수식하는 용법뿐임. (부사어, 형용사 보어일 때는 anders임.)

anfangen (분리동사: fangen ... *an*) [자동사] : 「mit etw.[3] anfangen」 *무엇*을 시작하다

* 3 기본형: *an***fangen** - *an***fing** (**fing** ... *an*) - *an***gefangen**

* 현재 시제, 단수 2, 3인칭 불규칙 변화: du f**ä**ng*st* ... *an* ; er f**ä**ng*t* ... *an*

anfängt ⇒ 분리동사 *an*fangen의 현재 시제: 주어가 ***er***, ***sie***, ***es***일 때

Angabe, *die* (복수: die Angabe***n***) 정보

Angebot, *das* (복수: die Angebot***e***) ① 제공, 제공물 ② 공급

angekommen ⇒ 분리동사 *an*kommen의 과거분사(= pp형)

angerufen ⇒ 분리동사 *an*rufen의 과거분사(= pp형)

angesehen ⇒ 분리동사 *an*sehen의 과거분사(= pp형)

angestellt [형용사] 고용된 ※분리동사 *an*stellen의 과거분사(= pp형)

Angestellt- 종업원, 직원 ※형용사 angestellt의 명사화!

남성 변화: *der* Angestellt*e* / ein Angestellt*er* 남자 종업원

여성 변화: *die* Angestellt*e* / eine Angestellt*e* 여자 종업원

복수 변화: *die* Angestellt*en* / Angestellt*e* 종업원들

Anglistik, *die* (*복수 없음*!) 영어영문학

Angst, *die* (복수: die Ängst*e*) 두려움, 걱정 ; 「Angst vor etw.[3]」 *무엇*에 대한 걱정

Anja [고유명사] (여자 이름) 안야

ankam ⇒ 분리동사 *an*kommen의 과거형

Anke [고유명사] (여자 이름) 앙케

ankommen (분리동사: kommen ... *an*) [자동사] 도착하다

* 3 기본형: *an***kommen** - *an***kam** (**kam** ... *an*) - *an***gekommen**

Ankunft, *die* (복수: die Ankünft*e*, 보통 *단수* 사용!) 도착

Ankunftszeit, *die* (복수: die Ankunftszeit*en*, 보통 *단수* 사용!) 도착 시간

Anlage, *die* (복수: die Anlage*n*) 기계, 설비

anmachen (분리동사: machen ... *an*) [타동사] (스위치를) 켜다, (등불을) 켜다, (불을) 피우다

* 3 기본형 규칙 변화: *an*mach*en* - *an*mach*te* (mach*te* ... *an*) - *angemacht*

Anna [고유명사] (여자 이름) 안나

Anne [고유명사] (여자 이름) 안네

annehmen (분리동사: nehmen ... *an*) [타동사] ...을 받다, 받아들이다 (영. accept)

* 3 기본형: *an***nehmen** - *an***nahm** (**nahm** ... *an*) - *an***genommen**

* 현재 시제, 단수 2, 3인칭 불규칙 변화: du nimm*st* ... *an* ; er nimm*t* ... *an*

Anruf, *der* (복수: die Anruf*e*) 전화 통화

anrufen (분리동사: rufen ... *an*) [타동사] : 「j-n. *an*rufen」 *누구*에게 전화 걸다 ※*4격* 요구 동사!

* 3 기본형: *an***rufen** - *an***rief** (**rief** ... *an*) - *an***gerufen**

ans ⇒ "an das"의 축약형 ; ans Meer gehen (fahren) 바닷가로 가다

ansehen (분리동사: sehen ... *an*) [***3격*** 재귀동사] :
「sich[3] etw.[4] *an*sehen」 *무엇*을 보다, *무엇*을 관람하다
* 3 기본형: ***an*sehen** - ***an*sah** **(sah** ... *an*) - ***an*gesehen**
* 현재 시제, 단수 2, 3인칭 불규칙 변화: du s**ie**h*st* dir ... *an* ; er s**ie**h*t* sich ... *an*

Ansgar [고유명사] (남자 이름) 안스가

anstellen (분리동사: stellen ... *an*) [타동사] : 「j-n. *an*stellen」 *누구*를 고용하다
* 3 기본형 규칙 변화: *an*stell***en*** - *an*stell***te*** (stell***te*** ... *an*) - *an**ge***stell***t***

anstrengen (분리동사: strengen ... *an*)
① [타동사] : 「etw.[주어] strengt j-n. ... *an*」 *무엇*은 *누구*를 힘들게 만들다
② [***4격*** 재귀동사] : 「sich[4] *an*strengen」 힘들이다, 고생하다
* 3 기본형 규칙 변화: *an*streng***en*** - *an*streng***te*** (streng***te*** ... *an*) - *an**ge***streng***t***

anstrengend [형용사] 힘든, 고된 ; (부사적) 힘들게, 고되게 ※분리동사 *an*strengen의 현재분사

Antrag, *der* (복수: die Antr**ä**g***e***) 신청, 신청서 ; einen Antrag (auf. etw.[4]) stellen *무엇*에 대해 신청하다 ; etw.[4] beantragen *무엇*을 신청하다

antworten [자동사] 대답하다 : 「auf etw.[4] antworten」 *무엇*에 대답하다
* 3 기본형 규칙 변화: antwort***en*** - antwort***ete*** - ***ge***antwort***et***

anzeigen (분리동사: zeigen ... *an*) [타동사] ...을 신고하다, 고발하다
* 3 기본형 규칙 변화: *an*zeig***en*** - *an*zeig***te*** (zeig***te*** ... *an*) - *an**ge***zeig***t***

anziehen (분리동사: ziehen ... *an*)
① [타동사] : 「j-n. *an*ziehen」 *누구*에게 옷을 입히다
② [***3격*** 재귀동사] : 「sich[3] etw.[4](= 의복) *an*ziehen」 *무엇*을 입다
③ [***4격*** 재귀동사] : 「sich[4] *an*ziehen」 옷 입다
* 3 기본형: ***an*ziehen** - ***an*zog** **(zog** ... *an*) - ***an*gezogen**

Anzug, *der* (복수: die Anz**ü**g***e***) (남자용) 양복

Apfel, *der* (복수: die **Ä**pfel) 사과

Appetit, *der* (***복수 없음***!) 식욕 ; Guten Appetit! "맛있게 드세요!"

April, *der* (복수: die April***e***, 보통 ***단수*** 사용!) 4월 ; im April 4월에

Arbeit, *die* (복수: die Arbeit***en***) 일, 작업 ;
zur Arbeit gehen (kommen) 일하러 가다 (오다), 출근하다

arbeiten [자동사] 일하다, 작업하다, 공부하다 (영. work)

* 3 기본형 규칙 변화: arbeit*en* - arbeit*ete* - *ge*arbeit*et*

Arbeiter, *der* (die Arbeiter) 노동자, 남자 노동자

arbeitslos [형용사] 일자리가 없는, 실직한

Arbeitslos- 실업자 ※형용사 arbeitslos의 명사화!

남성 변화: *der* Arbeitslos*e* / ein Arbeitslos*er* 남자 실업자

여성 변화: *die* Arbeitslos*e* / eine Arbeitslos*e* 여자 실업자

복수 변화: *die* Arbeitslos*en* / Arbeitslos*e* 실업자들

Arbeitslosigkeit, *die* (*복수 없음!*) 실직, 실업

Arendt [고유명사] (가족 이름, 즉 성씨) 아렌트

ärgerlich [형용사] 화가 난 ; 「j-d.[주어] ist ärgerlich über (혹은 auf) j-n. (etw.[4])」 *누구*(*무엇*)에 대해서 화나다

ärgern

① [타동사] : 「etw.[주어] ärgert j-n.」 *무엇은 누구*를 화나게 만들다

② [*4격* 재귀동사] : 「sich[4] über etw.[4] (j-n.) ärgern」 *무엇*(*누구*)에 대해 화나다

* 3 기본형 규칙 변화: ärger*n* - ärger*te* - *ge*ärger*t*

arm [형용사] 가난한, 불쌍한

* 3 비교형: arm - **ä**rm*er* - **ä**rm*st*

Armut, *die* (*복수 없음!*) 가난, 빈곤

arrogant [형용사] 거만한, 오만한 ; (부사적) 거만하게

Artikel, *der* (복수: die Artikel) (신문, 잡지의) 기사, 기고문

Arzt, *der* (복수: die **Ä**rzt*e*) 의사, 남자 의사

Ärzt*in*, *die* (복수: die Ärztin*nen*) 여의사

aß ⇒ 동사 essen의 과거형

auch [부사어] 또한, 역시 (영. also, too)

auf [*3 · 4격* 전치사] ① (*3격*: 위치) ~위에, ~에 ② (*4격*: 방향) ~위로, ~로 (영. on)

auf [분리전철&부사어] ① 위로, 위에 (영. up) ② 열린, 열려 있는 (영. open)

Aufgabe, *die* (복수: die Aufgabe*n*) 과제, 임무

aufmachen (분리동사: machen ... *auf*) [타동사] ...을 열다
 * 3 기본형 규칙 변화: *auf*mach***en*** - *auf*mach***te*** (mach***te*** ... *auf*) - *auf****ge***mach***t***

aufpassen (분리동사: passen ... *auf*) [자동사] : 「auf etw.[4] (j-n.) *auf*passen」 무엇(누구)에 주의하다 (영. pay attention to)
 * 3 기본형 규칙 변화: *auf*pass***en*** - *auf*pass***te*** (pass***te*** ... *auf*) - *auf****ge***pass***t***

aufräumen (분리동사: räumen ... *auf*) [타동사] ...을 청소하다, 정돈하다
 * 3 기본형 규칙 변화: *auf*räum***en*** - *auf*räum***te*** (räum***te*** ... *auf*) - *auf****ge***räum***t***

aufregen (분리동사: regen ... *auf*) [*4격* 재귀동사] : 「sich[4] über etw.[4] *auf*regen」 무엇에 흥분하다
 * 3 기본형 규칙 변화: *auf*reg***en*** - *auf*reg***te*** (reg***te*** ... *auf*) - *auf****ge***reg***t***

aufstehen (분리동사: stehen ... *auf*) [자동사] 일어나다, 기상하다 (영. stand up ; get up)
 ※ *장소 이동* 자동사 → 완료형 「***sein*** ... pp」
 * 3 기본형: *auf***stehen** - *auf***stand** (**stand** ... *auf*) - *auf***gestanden**

aufwachen (분리동사: wachen ... *auf*) [자동사] 깨어나다 (영. wake up)
 ※ *상태 변화* 자동사 → 완료형 「***sein*** ... pp」
 * 3 기본형 규칙 변화: *auf*wach***en*** - *auf*wach***te*** (wach***te*** ... *auf*) - *auf****ge***wach***t***

Aufzug, *der* (복수: die Aufz**ü**g***e***) 승강기

Auge, *das* (복수: die Auge***n***, 보통 ***복수*** 사용!) 눈 (영. eye)

Augenblick, *der* (복수: die Augenblick***e***) 순간 ; einen Augenblick (= einen Moment) 잠시, 잠깐 동안

Augsburg [고유명사] (도시 명) 아우크스부르크

August, *der* (복수: die August***e***, 보통 ***단수*** 사용!) 8월 ; im August 8월에

aus [*3격* 전치사] ~로부터 (영. out of)

ausbrechen (분리동사: brechen ... *aus*) [자동사] (사건이) 일어나다, 발생하다 (영. break out)
 ※ *상태 변화* 자동사 → 완료형 「***sein*** ... pp」
 * 3 기본형: *aus***brechen** - *aus***brach** (**brach** ... *aus*) - *aus***gebrochen**
 * 현재 시제, 단수 2, 3인칭 불규칙 변화: du bri̲ch*st* ... *aus* ; er bri̲ch*t* ... *aus*

Ausdruck, *der* (복수: die Ausdr**ü**ck***e***) 표현

Ausflug, *der* (복수: die Ausfl**ü**g***e***) 소풍, 나들이 ; einen Ausflug machen 소풍가다

ausgeben (분리동사: geben ... *aus*) [타동사] ...을 지출하다

* 3 기본형: *aus***geben** - *aus***gab** (**gab** ... *aus*) - *aus***gegeben**
* 현재 시제, 단수 2, 3인칭 불규칙 변화: du gibs*t* ... *aus* ; er gib*t* ... *aus*

ausgehen (분리동사: gehen ... *aus*) [자동사] 밖으로 나가다, 외출하다

※ *장소 이동* 자동사 → 완료형「***sein*** ... pp」

* 3 기본형: *aus***gehen** - *aus***ging** (**ging** ... *aus*) - *aus***gegangen**

Auskunft, *die* (복수: die Ausk**ü**nft***e***) ① 정보 ② 안내소

Ausland, *das* (***복수 없음***!) 외국

Ausländer, *der* (복수: die Ausländer) 외국인

ausländisch [형용사] 외국의

ausleihen (분리동사: leihen ... *aus*) [타동사] ...을 빌려주다

* 3 기본형: *aus***leihen** - *aus***lieh** (**lieh** ... *aus*) - *aus***geliehen**

ausmachen (분리동사: machen ... *aus*) [타동사] ...을 끄다

* 3 기본형 규칙 변화: *aus*mach***en*** - *aus*mach***te*** (mach***te*** ... *aus*) - *aus****ge***mach***t***

Ausnahme, *die* (복수: die Ausnahme***n***) 예외

ausruhen (분리동사: ruhen ... *aus*) [***4격*** 재귀동사] : 「sich⁴ *aus*ruhen」 휴식하다

* 3 기본형 규칙 변화: *aus*ruh***en*** - *aus*ruh***te*** (ruh***te*** ... *aus*) - *aus****ge***ruh***t***

ausschalten (분리동사: schalten ... *aus*) [타동사] ...을 끄다

* 3 기본형 규칙 변화:
  *aus*schalt***en*** - *aus*schalt***ete*** (schalt***ete*** ... *aus*) - *aus****ge***schalt***et***

aussehen (분리동사: sehen ... *aus*) [자동사] (외모, 겉모양이) ...해 보이다 (영. look ; look like...)

* 3 기본형: *aus***sehen** - *aus***sah** (**sah** ... *aus*) - *aus***gesehen**
* 현재 시제, 단수 2, 3인칭 불규칙 변화: du siehs*t* ... *aus* ; er sieh*t* ... *aus*

außer [***3격*** 전치사] ~이외에 (영. except)

aussteigen (분리동사: steigen ... *aus*) [자동사] 하차하다, 차에서 내리다

※ *장소 이동* 자동사 → 완료형「***sein*** ... pp」

* 3 기본형: *aus***steigen** - *aus***stieg** (**stieg** ... *aus*) - *aus***gestiegen**

Australien [고유명사] (국가 혹은 대륙 명) 오스트레일리아, 호주

auswandern (분리동사: wandern ... *aus*) [자동사] 이민가다, 해외로 이주하다

※ *장소 이동* 자동사 → 완료형 「***sein*** ... pp」

* 3 기본형 규칙 변화:

*aus*wander***n*** - *aus*wander***te*** (wander***te*** ... *aus*) - *aus****ge***wander***t***

Auto, *das* (복수: die Auto***s***) 자동차

Autobahn, *die* (복수: die Autobahn***en***) 고속도로

Autofenster, *das* (복수: die Autofenster) 자동차 창문, 차창

Automat, *der* (복수: die Automat***en***) 자동판매기

※주어를 제외한 ***단수 2, 3, 4격***이 모두 복수형과 동일하게 Automat***en*** 인 ***약변화*** 명사!

Autor, *der* (복수: die Autor***en***) 저자, 집필자, 원작자, 작가

Baby [be:bi], *das* (복수: die Baby***s***) 아기

Bad, *das* (복수: die B**ä**d***er***) 목욕, 목욕탕

bat ⇒ 동사 bitten의 과거형

Bahn, *die* (복수: die Bahn***en***) 기차 ※명사 "Einsen**bahn**"의 축약형!

Bahnhof, *der* (복수: die Bahnh**ö**f***e***) 역, 정거장

bald [부사어] 곧, 조만간

Ball, *der* (복수: die B**ä**ll***e***) 공

Bank, *die* (복수: die Bank***en***) 은행

Batterie, *die* (복수: die Batterie***n***) 배터리

Bauch, *der* (복수: die B**ä**uch***e***) (몸의 한 부분) 배, 복부

Bauchschmerz, *der* (복수: die Bauchschmerz***en***, 보통 ***복수*** 사용!) 복통

bauen [타동사] ...을 짓다, 건설하다

* 3 기본형 규칙 변화: bau***en*** - bau***te*** - ***ge***bau***t***

Bauer, *der* (복수: die Bauer) 농부

Bauer [고유명사] (가족 이름, 성) 바우어

Baum, *der* (복수: die Bäum*e*) 나무

Baumann [고유명사] (가족 이름, 성) 바우만

Beamte, *der* (복수: die Beamte*n*) 공무원, 관료

Beamtenprüfung, *die* (복수: die Beamtenprüfung*en*) 공무원 시험

beantragen [타동사] ...을 신청하다

* 3 기본형: *be*an**tragen** - *be*an**trug** - *be*an**tragen**
형태가 ***be-*** 이므로 pp형에서 ge- 탈락!

* 현재 시제, 단수 2, 3인칭 불규칙 변화: du beanträg*st* ; er beanträg*t*

beantworten [타동사] ...에 대답하다, 답변하다

* 3 기본형 규칙 변화: *be*antwort***en*** - *be*antwort***ete*** - *be*antwort***et***
형태가 ***be-*** 이므로 pp형에서 ge- 탈락!

bearbeiten [타동사] (원고 따위를) 작성하다, 수정・보완 작업하다

* 3 기본형 규칙 변화: *be*arbeit***en*** - *be*arbeit***ete*** - *be*arbeit***et***
형태가 ***be-*** 이므로 pp형에서 ge- 탈락!

beeilen [***4격*** 재귀동사] : 「sich[4] beeilen」 서두르다

* 3 기본형 규칙 변화: *be*eil***en*** - *be*eil***te*** - *be*eil***t***
형태가 ***be-*** 이므로 pp형에서 ge- 탈락!

beenden [타동사] ...을 끝내다, 마치다

* 3 기본형 규칙 변화: *be*end***en*** - *be*end***ete*** - *be*end***et***
형태가 ***be-*** 이므로 pp형에서 ge- 탈락!

begann ⇒ 동사 beginnen의 과거형

begegnen [자동사] : 「j-m. begegnen」 누구를 만나다 ※***3격*** 요구 동사!

※완료형 「***sein*** ... pp」

* 3 기본형 규칙 변화: *be*gegn***en*** - *be*gegn***ete*** - *be*gegn***et***
형태가 ***be-*** 이므로 pp형에서 ge- 탈락!

beginnen [자동사] 시작하다

* 3 기본형: **beginnen** - **begann** - **begonnen**

begonnen ⇒ 동사 beginnen의 과거분사(= pp형)

behandeln [타동사] ...을 다루다, 취급하다

* 3 기본형 규칙 변화: *be*handel***n*** - *be*handel***te*** - *be*handel***t***
형태가 ***be-*** 이므로 pp형에서 ge- 탈락!

behaupten [타동사] ...을 주장하다

* 3 기본형 규칙 변화: *be*haupt*en* - *be*haupt*ete* - *be*haupt*et*
형태가 ***be-*** 이므로 pp형에서 ge- 탈락!

bei [*3격* 전치사]

① ~옆에, ~에서 (영. near, by) ; bei dem geschlossenen Fenster 닫힌 창문 옆에서

② ~일 때 (영. at) ; bei dem Unfall 그 사고가 났을 때

beid- [형용사] 둘의, 양쪽의 (영. both) ※뒤에 오는 명사를 수식하는 용법뿐임!

beim ⇒ "bei dem"의 축약형 ; 「j-m. beim ... helfen」 누구를 ...할 때 돕다

Beispiel, *das* (복수: die Beispiel*e*) 예 (영. example) ; zum Beispiel 예를 들면

beißen [타동사] ...을 물다, 깨물다

* 3 기본형: **beißen - biss - gebissen**

bekam ⇒ 동사 bekommen의 과거형

bekannt [형용사] 알려진, 유명한

Bekannt- 아는 사람, 친지 ※형용사 bekannt의 명사화!

남성 변화: *der* Bekannt*e* / ein Bekannt*er* 남자 친지

여성 변화: *die* Bekannt*e* / eine Bekannt*e* 여자 친지

복수 변화: *die* Bekannt*en* / Bekannt*e* 친지들

bekommen [타동사] ...을 받다, 얻다

* 3 기본형: *be***kommen** - *be***kam** - *be***kommen**
형태가 ***be-*** 이므로 pp형에서 ge- 탈락!

bekommen ⇒ 동사 bekommen의 과거분사(= pp형)

benehmen [*4격* 재귀동사] : 「sich⁴ ... benehmen」 ...한 태도를 취하다, ...하게 행동하다

* 3 기본형: *be***nehmen** - *be***nahm** - *be***nommen**
형태가 ***be-*** 이므로 pp형에서 ge- 탈락!

* 현재 시제, 단수 2, 3인칭 불규칙 변화: du ben**i**mms*t* ; er ben**i**mm*t*

Benehmen, *das* (*복수 없음* !) 태도, 몸가짐

benimmt ⇒ 동사 benehmen의 현재 시제: 주어가 ***er***, ***sie***, ***es***일 때

benommen ⇒ 동사 benehmen의 과거분사(= pp형)

benutzen [타동사] ...을 이용하다

* 3 기본형 규칙 변화: *be*nutz*en* - *be*nutz*te* - *be*nutz*t*
형태가 ***be-*** 이므로 pp형에서 ge- 탈락!

bequem [형용사] 편안한, 안락한 ; (부사적) 편안하게

bereits [부사어] 이미, 벌써

bereuen [타동사] ...을 후회하다

* 3 기본형 규칙 변화: *be*reu***en*** - *be*reu***te*** - *be*reu***t***
형태가 ***be-*** 이므로 pp형에서 ge- 탈락!

Berg, *der* (복수: die Berg*e*) 산 ; auf einen Berg steigen 등산하다

Berger [고유명사] (가족 이름, 성) 베르거

Bericht, *der* (복수: die Bericht*e*) 보고, 보고서

Berlin [고유명사] (도시 명) 베를린

Bernd [고유명사] (남자 이름) 베른트

Beruf, *der* (복수: die Beruf*e*) 직업

berufstätig [형용사] 직업을 가진, 직장생활 하는

berühmt [형용사] 유명한

beschäftigen [*4격* 재귀동사] : 「sich[4] mit etw.[3] beschäftigen」 *무엇*에 몰두하다, *무엇*으로 바쁘다

* 3 기본형 규칙 변화: *be*schäftig***en*** - *be*schäftig***te*** - *be*schäftig***t***
형태가 ***be-*** 이므로 pp형에서 ge- 탈락!

beschäftigt [형용사] 바쁜 ※동사 beschäftigen의 과거분사(= pp형)

bescheiden [형용사] 겸손한, 검소한 ; (부사적) 겸손하게

beschreiben [타동사] ...을 묘사하다, 기술하다

* 3 기본형: *be***schreiben** - *be***schrieb** - *be***schrieben**
형태가 ***be-*** 이므로 pp형에서 ge- 탈락!

beschrieb ⇒ 동사 beschreiben의 과거형

beschrieben ⇒ 동사 beschreiben의 과거분사(= pp형)

beschweren [*4격* 재귀동사] : 「sich[4] über etw.[4] beschweren」 *무엇*에 대해서 불평하다

* 3 기본형 규칙 변화: *be*schwer***en*** - *be*schwer***te*** - *be*schwer***t***
형태가 ***be-*** 이므로 pp형에서 ge- 탈락!

besetzt [형용사] (자리, 좌석 등이) 채워진, 차지된

besprechen [타동사] ...에 대하여 말하다, ...을 말하다

* 3 기본형: *be***sprechen** - *be***sprach** - *be***sprochen**
형태가 ***be-*** 이므로 pp형에서 ge- 탈락!

besser ⇒ 형용사 gut의 비교급

best ⇒ 형용사 gut의 최상급 : am besten 가장 좋은, 가장 잘 ; das Beste 최선
(최상급 형용사 best의 ***중성***명사화!)

bestanden ⇒ 동사 bestehen의 과거분사(= pp형)

bestehen ① [타동사] (시험 등을) 통과하다, 합격하다 ② [자동사] 존재하다

* 3 기본형: *be***stehen** - *be***stand** - *be***standen**
형태가 ***be-*** 이므로 pp형에서 ge- 탈락!

bestellen [타동사] ...을 주문하다

* 3 기본형 규칙 변화: bestell***en*** - bestell***te*** - bestell***t***
형태가 ***be-*** 이므로 pp형에서 ge- 탈락!

bestimmt [부사어] 확실히, 틀림없이 (= sicher)

Besuch, ***der*** (복수: die Besuch***e***) ① 방문 ② 방문객, 손님 (항상 ***단수*** 사용!) ;
Besuch haben 손님이 있다

besuchen [타동사] ...을 방문하다

* 3 기본형 규칙 변화: besuch***en*** - besuch***te*** - besuch***t***
형태가 ***be-*** 이므로 pp형에서 ge- 탈락!

betragen [타동사] (액수가) ...에 달하다

* 3 기본형: *be***tragen** - *be***trug** - *be***tragen**
형태가 ***be-*** 이므로 pp형에서 ge- 탈락!

* 현재 시제, 단수 2, 3인칭 불규칙 변화: du betr**ä**g*st* ; er betr**ä**g*t*

beträgt ⇒ 동사 betragen의 현재 시제: 주어가 ***er***, ***sie***, ***es***일 때

betrogen ⇒ 동사 betrügen의 과거분사(= pp형)

betrügen [타동사] ...을 속이다, 기만하다

* 3 기본형: *be***trügen** - *be***trog** - *be***trogen**
형태가 ***be-*** 이므로 pp형에서 ge- 탈락!

betrunken [형용사] 술에 취한

Bett, ***das*** (복수: die Bett***en***) 침대 ; ins Bett gehen 잠자리에 들다

Bevölkerung, ***die*** (복수: die Bevölkerung***en***, 보통 ***단수*** 사용!) 전체 주민, 인구

bevor [종속접속사] ...하기 전에 (영. before)

bewegen ① [타동사] ...을 움직이다 ② [*4격* 재귀동사] : 「sich⁴ bewegen」 몸을 움직이다, 운동하다

* 3 기본형 규칙 변화: *beweg**en*** - *beweg**te*** - *beweg**t***
형태가 ***be-*** 이므로 pp형에서 ge- 탈락!

bezahlen [타동사] ...의 값을 지불하다 (영. pay for ...)

* 3 기본형 규칙 변화: *bezahl**en*** - *bezahl**te*** - *bezahl**t***
형태가 ***be-*** 이므로 pp형에서 ge- 탈락!

Bibliothek, *die* (복수: die Bibliothek***en***) 도서관

Bier, *das* (복수: die Bier***e***, 물질명사로서 보통 *단수* 사용!) 맥주

bieten [타동사] ...을 제공하다

* 3 기본형: **bieten - bot - geboten**

Bild, *das* (복수: die Bild***er***) 그림

Bilderbuch, *das* (복수: die Bilderb**ü**ch***er***) 그림책

Bildschirm, *der* (복수: die Bildschirm***e***) (TV, 컴퓨터 등의) 화면, 모니터

billig [형용사] 값싼

bin ⇒ 동사 sein의 현재 시제: 주어가 ***ich***일 때

bis [*4격* 전치사] ~까지 ; 「bis zur + 여성 3격」, 「bis zum + 남성 · 중성 3격」 (시간 혹은 공간적) ...에 이르기 까지

bisschen [부정수사] 소량의, 약간의 ; ein bisschen 조금, 약간 (영. a little ; a few)

bist ⇒ 동사 sein의 현재 시제: 주어가 ***du***일 때

bitte [부사어] 정중한 표현을 위한 부사어 (영. please)

bitten [타동사] 청하다, 요청하다 : 「j-n. um etw.⁴ bitten 」 *누구*에게 *무엇*을 청하다

* 3 기본형: **bitten - bat - gebeten**

blau [형용사] 파란, 파란색의

Blech, *das* (복수: die Blech***e***) 얇은 금속판, 양철

Blei, *das* (***복수 없음***!) (광물질) 흑연

bleiben [자동사] 머무르다 (영. stay, remain)

※완료형 「***sein*** ... pp」

* 3 기본형: **bleiben - blieb - geblieben**

Bleistift, *der* (복수: die Bleistift***e***) 연필

blieb ⇒ 동사 bleiben의 과거형

blöd(e) [형용사] 어리석은, 우둔한 ; (부사적) 어리석게

blond(e) [형용사] 금발의

bloß

① [형용사] 단순한 ; (부사적) 단순히 (영. mere, merely)

② [부사어] 단지, 그저 (= nur) (영. only)

③ [부사어] 의문문에서 화자의 당혹스러움을 나타냄. (어조사이므로 명확한 우리말 해석 쉽지 않음!)

Blume, *die* (복수: die Blume***n***) 꽃

Bluse, *die* (복수: die Bluse***n***) 블라우스

Boden, *der* (복수: die Böden, 보통 *단수* 사용!) 바닥, 땅바닥

Bonn [고유명사] (도시 명) 본

bot ⇒ 동사 bieten의 과거형

brachte ⇒ 동사 bringen의 과거형

Brandt [고유명사] (가족 이름, 성) 브란트

Brasilien [고유명사] (국가 명) 브라질

brauchen [타동사] ...을 필요로 하다, 요구하다 (영. need)

* 3 기본형 규칙 변화: brauch***en*** - brauch***te*** - ***ge***brauch***t***

braun [형용사] 갈색의

Braun [고유명사] (가족 이름, 성) 브라운

brechen [타동사] ...을 부수다, 깨다 (영. break)

* 현재 시제, 단수 2, 3인칭 불규칙 변화: du brich*st* ; er brich*t*

Bremen [고유명사] (도시 명) 브레멘

Breuer [고유명사] (가족 명, 성) 브로이어

Brief, *der* (복수: die Brief***e***) 편지

Brieftasche, *die* (복수: die Brieftasche***n***) 지갑, 수첩

Brille, *die* (복수: die Brille***n***) 안경

bringen [타동사] *무엇*을 가져오다, *누구*를 데려오다

* 3 기본형: **bringen - brachte - gebracht**

Brot, *das* (복수: die Brot*e*, 물질명사로서 보통 ***단수*** 사용!) 빵

Brötchen, *das* (복수: die Brötchen) (주로 아침식사용 작은 독일 빵) 브뢰첸
※das Brot('빵')의 ***축소명사!***

Brücke, *die* (복수: die Brücke*n*) 다리, 교량

Bruder, *der* (복수: die Brüder) 남자 형제 (형, 오빠, 남동생)

Bruno [고유명사] (남자 이름) 브루노

Buch, *das* (복수: die Büch*er*) 책

buchen [타동사] ...을 예약하다
* 3 기본형 규칙 변화: buch***en*** - buch***te*** - ***ge***buch***t***

Büro, *das* (복수: die Büro*s*) 사무실 ; ins Büro gehen (kommen) 사무실로 가다 (오다)

Bus, *der* (복수: die Bus*se*) 버스

Café, *das* (복수: die Café*s*) 커피숍

Chef, *der* (복수: die Chef*s*) (사장, 부장, 과장 등) 장, 우두머리

Chemie, *die* (***복수 없음!***) 화학

Chinese, *der* (복수: die Chinese*n*) 중국인, 중국 남자
※주어를 제외한 ***단수 2, 3, 4격***이 모두 복수형과 동일하게 Chinese***n*** 인 ***약변화*** 명사!

chinesisch [형용사] 중국의, 중국어의, 중국인의 ; (부사적) 중국식으로

Christian [고유명사] (남자 이름) 크리스티안

circa (축약형: ca.) [부사어] 대략, 약

Claudia [고유명사] (여자 이름) 클라우디아

Cola, *das* 혹은 *die* (복수: die Cola 혹은 Cola*s*) 콜라

Computer, *der* (복수: die Computer) 컴퓨터

Computerfachmann, *der* (복수: die Computerfach*leute*) 컴퓨터 전문가

Computerspezialist, *der* (복수: die Computerspezialist***en***) 컴퓨터 전문가

※주어를 제외한 ***단수 2, 3, 4격***이 모두 복수형처럼 Computerspezialist***en*** 인 ***약변화*** 명사!

Computerspiel, *das* (복수: die Computerspiel***e***) 컴퓨터 게임

da [부사어]

① (공간적) 저기에, 그곳에 ② (시간적) 그때 ③ (앞 문장 내용을 받아) 그 점과 관련하여

da [종속접속사] (이유) ...이므로, ...이기 때문에 (영. because)

dabei ⇒ 「전치사 bei + 지시대명사 das」

dachte ⇒ 동사 denken의 과거형

dadurch ⇒ 「전치사 durch + 지시대명사 das」

dafür ⇒ 「전치사 für + 지시대명사 das」 ; 「j-d.[주어] ist dafür」 *누구는* 찬성하다

dagegen ⇒ 「전치사 gegen + 지시대명사 das」 ; 「j-d.[주어] ist dagegen」 *누구는* 반대하다

dahin [부사어] (방향) 그리로, 그곳으로

damals [부사어] (시간적) 그 당시에, 그 무렵에

Dame *die* (복수: die Dame***n***) 숙녀 (영. lady)

Damenwäsche, *die* (복수: die Damenwäsche***n***) 여성용 속옷

damit ⇒ 「전치사 mit + 지시대명사 das」

damit [종속접속사] ...하도록, ...하기 위해

danach ① 「전치사 nach + 지시대명사 das」 ② [부사어] (시간적) 그런 뒤에, 그 이후

Dank, *der* (***복수 없음***!) 감사 ; Herzlichen (혹은 Vielen, Schönen) Dank! “매우 감사합니다!”

danken [자동사] : 「j-m. für etw.[4] danken」 *누구*에게 *무엇*에 대해 감사하다

* 3 기본형 규칙 변화: dank***en*** - dank***te*** - ***ge***dank***t***

dann [부사어] 그러면, 그 다음에 (영. then)

Danzig [고유명사] (가족 이름, 성) 단치히

daran ⇒ 「전치사 an + 지시대명사 das」

darauf ⇒ 「전치사 auf + 지시대명사 das」

darf ⇒ 화법조동사 dürfen의 현재 시제: 주어가 ***ich*** 혹은 ***er***, ***sie***, ***es***일 때

darfst ⇒ 화법조동사 dürfen의 현재 시제: 주어가 ***du***일 때

darum ⇒ 「전치사 um + 지시대명사 das」

das [지시대명사] 그것 ※지시대명사 das는 중성명사는 물론이고, 나아가서 성, 수에 관계없이 모든 명사를 받을 수 있으며, 이 밖에도 앞 문장 일부 및 전체 등 그 무엇이든 받을 수 있음!

dasein (분리동사: sein ... *da*) [자동사] 있다, 존재하다

※완료형 「***sein*** ... pp」

* 3 기본형: *da***sein** - *da***war** (**war** ... *da*) - *da***gewesen**

* 현재 시제 불규칙 변화: ich **bin** ... *da* ; du **bist** ... *da* ; er (sie, es) **ist** ... *da* ; wir **sind** ... *da* ; ihr **seid** ... *da* ; sie, Sie **sind** ... *da*

dass [종속접속사] ...라는 사실, ...라는 것 (영. that)

dauernd [형용사] 지속적인 ; (부사적) 지속적으로

davon ⇒ 「전치사 von + 지시대명사 das」

davor ⇒ 「전치사 vor + 지시대명사 das」

dazu ⇒ 「전치사 zu + 지시대명사 das」

dein- [소유대명사] '너의 ...' (영. your)

denken [자동사] : 「an etw.[4] denken」 *무엇을* 생각하다

* 3 기본형: **denken** - **dachte** - **gedacht**

denn [부사어]

① 의문문에서 질문을 자연스럽게 유도함. (어조사이므로 명확한 우리말 해석 쉽지 않음!)

② 도대체 (화자의 불만 혹은 의구심을 나타냄.)

denn [대등접속사] 왜냐하면 ...이기 때문에

d*er*, di*e*, d*as*, d*en*, d*em*, d*es* ...

① [정관사] 그 ... , 이 ... (영. the)

② [지시대명사] 그것, 그 사람 (앞에 나온 특정 명사를 받으며, 「***정관사 d-*** + 명사」의 축약형!)

deren ① [지시대명사] 여성, 복수 2격 형 ② [관계대명사] 여성, 복수 2격 형

deshalb [부사어] 그러므로, 그래서

dessen ① [지시대명사] 남성, 중성 2격 형 ② [관계대명사] 남성, 중성 2격 형

deutlich [형용사] 분명한, 명확한 ; (부사적) 분명히, 명확히

Deutsch [고유명사] (언어 명) 독일어

deutsch [형용사] 독일의, 독일인의, 독일어의 ; (부사적) 독일적으로

Deutsch- 독일인 ※형용사 deutsch의 명사화!

남성 변화: *der* Deutsch***e*** / ein Deutsch***er*** 독일 남자

여성 변화: *die* Deutsch***e*** / eine Deutsch***e*** 독일 여자

복수 변화: *die* Deutsch***en*** / Deutsch***e*** 독일인들

중성 변화: *das* Deutsch***e*** 독일적인 것, 독일 정신

Deutschland [고유명사] (국가 명) 독일

Deutschlandreise, *die* (복수: die Deutschlandreise***n***) 독일 여행

dich ⇒ ① 인칭대명사 du('너는')의 ***4격*** 형 (영. you) ② 주어가 ***du***일 때의 ***4격*** 재귀대명사 (영. yourself)

dick [형용사] ① 뚱뚱한 ② 두꺼운

Dienstag, *der* (복수: die Dienstag***e***) 화요일 ; am Dienstag 화요일에

dies- [지시대명사] '이 ...' (영. this ...) ※지시대명사 dies-는 ***정관사 d-*** 어미변화!

dir ⇒ ① 인칭대명사 du('너는')의 ***3격*** 형 ② 주어가 ***du***일 때의 ***3격*** 재귀대명사

diskutieren [자동사] 토론하다

* 3 기본형 규칙 변화: diskutier***en*** - diskutier***te*** - diskutier***t***
형태가 ***-ieren*** 이므로 pp형에서 ge- 탈락!

doch [부사어]

① (부정 질문에 대한 긍정 답변) 아니오, 천만에요

② (명령문에서) 그러지 말고 (...하세요)

③ 평서문에서 대화 상대자의 동의나 인정을 구하며 말할 때 사용함 ("...잖아"로 해석)

Doktor, *der* (복수: die Doktor***en***) ① 박사 ② 의사 ③ (호칭) '...박사' (축약형: Dr. ...)

Donnerstag, *der* (복수: die Donnerstag***e***) 목요일 ; am Donnerstag 목요일에

dort [부사어] 저기, 거기 (영. there)

dorthin [부사어] 저기로, 그곳으로

drei [수사] 3, 셋

dreimal [부사어] 세 번, 세 차례

dreißig [수사] 30

dreizehn [수사] 13

Dresden [고유명사] (도시 명) 드레스덴

dringen [자동사] 밀고 들어가다 (영. come through ; get through)

※ *장소 이동* 자동사 → 완료형「*sein* ... pp」

* 3 기본형: **dringen - drang - gedrungen**

dringend [형용사] 시급한, 긴급한 ※동사 dringen의 현재분사!

dritt- [수사: *서수*] 셋째의, 제3의

Drittel, *das* (복수: die Drittel) 1/3 (“3분의 1”)

drüben [부사어] 건너편에, 저편에 ; da drüben 저기 건너편에

Druck, *der* (복수: die Drück*e*) 인쇄 ;

「etw.[4] in (den) Druck geben」 *무엇을* 인쇄되도록 하다

du [인칭대명사] 너는, 네가 (영. you)

dumm [형용사] 어리석은, 우둔한

Dummkopf, *der* (복수: die Dummköpf*e*) 바보

dunkel [형용사] 어두운

dünn [형용사] ① (몸이) 마른 ② 얇은, 가는

durch [*4격* 전치사] ~을 통해 (영. through)

dürfen [화법조동사] (허락) ...해도 된다 (영. may)

* 3 기본형: **dürfen - durfte - gedurft, dürfen**

* 현재 시제, 주어가 단수일 때 불규칙 변화: ich **darf** ; du **darf***st* ; er (sie, es) **darf** ; wir dürf*en* ; ihr dürf*t* ; sie, Sie dürf*en*

durfte ⇒ 화법조동사 dürfen의 과거형

dürfte ⇒ 화법조동사 dürfen의 접속법 II 형태

Durst, *der* (*복수 없음!*) 갈증 ; (keinen) Durst haben 목이 (안) 마르다

Düsseldorf [고유명사] (도시 명) 뒤셀도르프

DVD [de:fau'de:], *die* (die DVD*s*) 디비디 (DVD)

dynamisch [형용사] 활동적인, 역동적인 ; (부사적) 역동적으로

eben [부사어] 막, 방금, 조금 전에 (영. just)

Ebert [고유명사] (가족 이름, 성) 에버트

Ecke, *die* (복수: die Ecke***n***) 구석

egal [형용사] 상관없는, 중요하지 않은

※동사 sein의 형용사 보어로만 사용됨. (부사어 및 명사 수식어 용법은 없음!)

ehren [타동사] ...을 공경하다 (영. honour)

* 3 기본형 규칙 변화: ehr***en*** - ehr***te*** - ***ge***ehr***t***

ehrlich [형용사] 정직한, 솔직한 ; (부사적) 정직하게 ; ehrlich gesagt 솔직하게 말하면

Ei, *das* (복수: die Ei***er***) 알, 달걀

eigentlich [부사어] ① 원래, 사실은 (영. actually, really) ② 도대체 ※의문문에서 화자의 관심이나 불만 등을 나타냄!

eilig [형용사] 급한, 시급한 ; (부사적) 급히 ; 「j-d.[주어] hat es eilig」 누구는 급하다, 누구는 서둘러야 하다

ein [분리전철&부사어] 안에, 안으로 (영. in, on)

ein, ein*e*, ein*en*, ein*em*, ein*er* ... [부정관사] 하나의, 어떤 (영. a, an)

ein*e*, ein*en*, ein*em*, ein*er* ... [부정대명사]

① 그것 하나 ※앞에 나온 특정 명사를 받으며, 「***부정관사 ein-*** + 명사」 의 축약형!

② 한 사람 (영. one)

einfach [부사어]

① [형용사] 간단한, 단순한 (영. simple, easy)

② [부사어] 그냥, 단순히 (영. simply)

einführen (분리동사: führen ... *ein*) [타동사] ...을 도입하다, 이끌어 들이다

* 3 기본형 규칙 변화: *ein*führ***en*** - *ein*führ***te*** (führ***te*** ... *ein*) - *ein**ge***führ***t***

Einführung, *die* (복수: die Einführung***en***, 보통 ***단수*** 사용!) 도입, 입문 (영. introduction)

※분리동사 *ein*führen의 명사형!

eingeladen ⇒ 분리동사 *ein*laden의 과거분사(= pp형)

eingeschlafen ⇒ 분리동사 *ein*schlafen의 과거분사(= pp형)

Einheit, *die* (복수: die Einheit*en*) 통일 ; der Tag der deutschen Einheit 독일 통일의 날

einig- [부정수사] 몇몇의 ... (영. a few) ; 「einig*e* + *복수*명사」 몇몇의 ...들 ;
vor einigen Jahren 몇 년 전에

Einkauf, *der* (복수: die Eink**ä**uf*e*, 보통 *단수* 사용!) 장보기, 쇼핑

einkaufen (분리동사: kaufen ... *ein*) [타동사/자동사] ...을 구입하다, 쇼핑하다

* 3 기본형 규칙 변화: *ein*kauf***en*** - *ein*kauf***te*** (kauf***te*** ... *ein*) - *ein**ge***kauf***t***

Einkaufen, *das* (보통 *단수* 사용!) 쇼핑하기, 구입하기 ※분리동사 *ein*kaufen의 명사화! ;
zum Einkaufen 쇼핑하기 위해

Einkaufszentr*um*, *das* (복수: die Einkaufszentr***en***) 쇼핑센터

einladen (분리동사: laden ... *ein*) [타동사] ...을 초대하다, 초청하다 ;
「j-n. zu etw.[3] *ein*laden」 *누구*를 *무엇*에 초대하다

* 3 기본형: *ein***laden** - *ein***lud** (**lud** ... *ein*) - *ein***geladen**

* 현재 시제, 단수 2, 3인칭 불규칙 변화: du l**ä**d*st* ... *ein* ; er l**ä**d*t* ... *ein*

Einladung, *die* (복수: die Einladung***en***) 초대

einmal [부사어]

① 한번 ② 언젠가 한번 ③ (명령문에서 정중한 요구를 표현하여) 좀 (...해주세요) ;
noch einmal 한번 더

einpacken (분리동사: packen ... *ein*) [타동사] (짐을) 꾸리다

* 3 기본형 규칙 변화: *ein*pack***en*** - *ein*pack***te*** (pack***te*** ... *ein*) - *ein**ge***pack***t***

einreichen (분리동사: reichen ... *ein*) [타동사] (관청에 서류 등을) 제출하다 (영. submit)

* 3 기본형 규칙 변화: *ein*reich***en*** - *ein*reich***te*** (reich***te*** ... *ein*) - *ein**ge***reich***t***

eins [수사] 1, 하나

einschalten (분리동사: schalten ... *ein*) [타동사] (기계, 기구를) 켜다

* 3 기본형 규칙 변화:

*ein*schalt***en*** - *ein*schalt***ete*** (schalt***ete*** ... *ein*) - *ein**ge***schalt***et***

einschlafen (분리동사: schlafen ... *ein*) [자동사] 잠들다 (영. fall asleep)

※***상태 변화*** 자동사 → 완료형 「***sein*** ... pp」

* 3 기본형: *ein***schlafen** - *ein***schlief** (**schlief** ... *ein*) - *ein***geschlafen**

* 현재 시제, 단수 2, 3인칭 불규칙 변화: du schl**ä**f*st* ... *ein* ; er schl**ä**f*t* ... *ein*

einsteigen (분리동사: steigen ... *ein*) [자동사] 차에 타다, 승차하다

※***장소 이동*** 자동사 → 완료형「***sein*** ... pp」

* 3 기본형: *ein***steigen** - *ein***stieg** (**stieg** ... *ein*) - *ein***gestiegen**

einundzwanzig [수사] 21

Einwohner, *der* (복수: die Einwohner) 주민

einziehen (분리동사: ziehen ... *ein*) [자동사] 이주해 오다, 이사해 들어가다

※***장소 이동*** 자동사 → 완료형「***sein*** ... pp」

* 3 기본형: *ein***ziehen** - *ein***zog** (**zog** ... *ein*) - *ein***gezogen**

einzig [형용사] 유일한, 단 하나의

Eis, *das* (***복수 없음***!) ① 얼음 ; ② 아이스크림

elegant [형용사] 우아한 ; (부사적) 우아하게

elf [수사] 11

Elke [고유명사] (여자 이름) 엘케

Eltern, *die* (항상 ***복수***임!) 부모

E-Mail, *das* (복수: die E-Mail***s***) 이메일

empfehlen [타동사] ...을 추천하다

* 3 기본형: **empfehlen** - **empfahl** - **empfohlen**

* 현재 시제, 단수 2, 3인칭 불규칙 변화: du empfiehl*st* ; er empfiehl*t*

Ende, *das* (복수: die Ende***n***, 보통 ***단수*** 사용!) 끝, 끝남 ;

ein Buch zu Ende lesen 책을 끝까지 읽다

endlich [부사어] 마침내, 드디어 (영. at last)

Endstation, *die* (복수: die Endstation***en***) 종착역, 종점

eng [형용사] ① 좁은 ② (옷이) 몸에 꽉 죄는

England [고유명사] (국가 명) 영국

Englisch [고유명사] (언어 명) 영어

Englischunterricht, *der* (복수: die Englischunterricht***e***) 영어 수업, 영어 시간

entlang [***3격*** 전치사 혹은 ***4격 후치***사] ~을 따라서 (영. along) :「entlang + 3격」혹은「4격 + entlang」

entlassen [타동사] ...을 해방시키다, ...을 해고하다 (영. release) : 「j-n. aus etw.[3] entlassen」 *누구*를 *무엇*에서 떠나게 하다 (자유롭게 해주다)

* 3 기본형: *ent*lassen - *ent*ließ - *ent*lassen
형태가 *ent-* 이므로 pp형에서 ge- 탈락!

* 현재 시제, 단수 2, 3인칭 불규칙 변화: du entlässt ; er entlässt

entscheiden [*4격* 재귀동사] : 「sich[4] für j-n. (etw.[4]) entscheiden」 *누구*를(*무엇*을) 택하기로 결정하다

* 3 기본형: *ent*scheiden - *ent*schied - *ent*schieden
형태가 *ent-* 이므로 pp형에서 ge- 탈락!

Entscheidung, *die* (복수: die Entscheidung*en*) 결정 ;
eine Entscheidung treffen 결정 내리다

entschuldigen [타동사] ...을 용서하다 (영. excuse) ; Entschuldigen Sie! "실례합니다!"

* 3 기본형 규칙 변화: *ent*schuldig*en* - *ent*schuldig*te* - *ent*schuldig*t*
형태가 *ent-* 이므로 pp형에서 ge- 탈락!

Entschuldigung, *die* (복수: die Entschuldigung*en*) 용서 ;
Entschuldigung, ... "실례지만, ..."

entsprechen [자동사] ...에 일치하다, ...에 해당하다 ※*3격* 요구 동사! (영. correspond to)

* 3 기본형: *ent*sprechen - *ent*sprach - *ent*sprochen
형태가 *ent-* 이므로 pp형에서 ge- 탈락!

* 현재 시제, 단수 2, 3인칭 불규칙 변화: du entsprichst ; er entspricht

entwickeln ① [타동사] ...을 발전시키다 ; ② [*4격* 재귀동사] : 「sich[4] entwickeln」 발전하다

* 3 기본형 규칙 변화: *ent*wickel*n* - *ent*wickel*te* - *ent*wickel*t*
형태가 *ent-* 이므로 pp형에서 ge- 탈락!

er [인칭대명사] 그는 (영. he)

erbauen [타동사] (비교적 큰 건물인) ...을 건축하다, 건립하다

* 3 기본형 규칙 변화: *er*bau*en* - *er*bau*te* - *er*bau*t*
형태가 *er-* 이므로 pp형에서 ge- 탈락!

Erde, *die* (복수: die Erde*n*) ① 땅, 지구 (이 경우 항상 *단수*임!) ② 흙

Erdgeschoss, *das* (복수: die Erdgeschoss*e*, 보통 *단수* 사용!) 1층 ; im Erdgeschoss 1층에

erfahren [타동사] ...을 듣고 알다, 알게 되다 (영. find out ; hear)

* 3 기본형: *er*fahren - *er*fuhr - *er*fahren
형태가 *er-* 이므로 pp형에서 ge- 탈락!

* 현재 시제, 단수 2, 3인칭 불규칙 변화: du erfährst ; er erfährt

erfinden [타동사] ...을 고안하다, 발명하다

* 3 기본형: *er***finden** - *er***fand** - *er***funden**
형태가 ***er-*** 이므로 pp형에서 ge- 탈락!

Erfolg, *der* (복수: die Erfolg***e***) 성과, 성공

erfolgreich [형용사] 성공적인

Ergebnis, *das* (복수: die Ergebnis***se***) 결과

erhalten [타동사] ...을 얻다, 받다

* 3 기본형: *er***halten** - *er***hielt** - *er***halten**
형태가 ***er-*** 이므로 pp형에서 ge- 탈락!

* 현재 시제, 단수 2, 3인칭 불규칙 변화: du erh**ä**lt*st* ; er erh**ä**l*t*

erholen [***4격*** 재귀동사] : 「sich⁴ erholen」 휴식을 취하다, 휴양하다

* 3 기본형 규칙 변화: *er*hol***en*** - *er*hol***te*** - *er*hol***t***
형태가 ***er-*** 이므로 pp형에서 ge- 탈락!

erinnern

① [타동사] : 「j-n. an etw.⁴ erinnern」 *누구*로 하여금 *무엇*을 기억하게 만들다 (영. remind)

② [***4격*** 재귀동사] : 「sich⁴ an etw.⁴ erinnern」 *무엇*을 기억하다

* 3 기본형 규칙 변화: *er*inner***n*** - *er*inner***te*** - *er*inner***t***
형태가 ***er-*** 이므로 pp형에서 ge- 탈락!

erkälten [***4격*** 재귀동사] : 「sich⁴ erkälten」 감기들다

* 3 기본형 규칙 변화: *er*kält***en*** - *er*kält***ete*** - *er*kält***et***
형태가 ***er-*** 이므로 pp형에서 ge- 탈락!

erkältet [형용사] 감기 걸린 ※동사 erkälten의 과거분사 (= pp형)

erkannt ⇒ 동사 erkennen의 과거분사(= pp형)

erkannte ⇒ 동사 erkennen의 과거형

erkennen [타동사] ...을 인식하다, 알아보다 (영. recognize)

* 3 기본형: *er***kennen** - *er***kannte** - *er***kannt**
형태가 ***er-*** 이므로 pp형에서 ge- 탈락!

erklären [타동사] ...을 설명하다 ; 「j-m. etw.⁴ erklären」 *누구*에게 *무엇*을 설명하다

* 3 기본형 규칙 변화: *er*klär***en*** - *er*klär***te*** - *er*klär***t***
형태가 ***er-*** 이므로 pp형에서 ge- 탈락!

erlauben [타동사] ...을 허락하다, 허용하다

* 3 기본형 규칙 변화: *er*laub***en*** - *er*laub***te*** - *er*laub***t***
형태가 ***er-*** 이므로 pp형에서 ge- 탈락!

erlaubt [형용사] 허락된, 허용된 ※동사 erlauben의 과거분사 (= pp형)

erledigen [타동사] ...을 해결하다, ...을 해치우다

* 3 기본형 규칙 변화: *er*ledig***en*** - *er*ledig***te*** - *er*ledig***t***
형태가 ***er-*** 이므로 pp형에서 ge- 탈락!

erreichen [타동사] ...에 닿다, 도달하다 (영. reach)

* 3 기본형 규칙 변화: *er*reich***en*** - *er*reich***te*** - *er*reich***t***
형태가 ***er-*** 이므로 pp형에서 ge- 탈락!

erschöpfen [타동사] : 「etw.[주어] erschöpft j-n.」 *무엇은 누구를* 탈진시키다 (영. exhaust)

* 3 기본형 규칙 변화: *er*schöpf***en*** - *er*schöpf***te*** - *er*schöpf***t***
형태가 ***er-*** 이므로 pp형에서 ge- 탈락!

erschöpft [형용사] 탈진한, 기진맥진한 ※동사 erschöpfen의 과거분사(= pp형)!

erst [부사어] ① 우선, 먼저 ② (...에야) 비로소

erst- [수사: ***서수***] 첫째의, 제1의

erwarten [타동사] (올 것을) 기다리다, 기대하다 (영. expect)

* 3 기본형 규칙 변화: *er*wart***en*** - *er*wart***ete*** - *er*wart***et***
형태가 ***er-*** 이므로 pp형에서 ge- 탈락!

erzählen [타동사] ...을 말하다, 이야기하다 (영. tell)

* 3 기본형 규칙 변화: *er*zähl***en*** - *er*zähl***te*** - *er*zähl***t***
형태가 ***er-*** 이므로 pp형에서 ge- 탈락!

es [인칭대명사] ① 그것은 (***1격*** 형) (영. it) ② 그것을 (***4격*** 형) (영. it)

es [비인칭대명사] '날씨', '시간' 등을 표현할 때 사용되는 비인칭 주어 (영. it)

essen [타동사/자동사] (...을) 먹다, 식사하다

* 3 기본형: **essen - aß - gegessen**

* 현재 시제, 단수 2, 3인칭 불규칙 변화: du iss*t* ; er iss*t*

Essen, ***das*** (복수: die Essen, 보통 ***단수*** 사용!) 식사 ; zum Essen gehen 식사하러 가다

etwa [부사어] 약, 대략

etwas

① [부정대명사] 뭔가 (***1격*** 및 ***4격*** 형) (영. something, anything)

② [부사어] 약간 (영. a little)

euch ⇒ ① 인칭대명사 ihr('너희는')의 ***3격*** 혹은 ***4격*** 형 (영. you)

② 주어가 ***ihr***일 때의 ***3격*** 및 ***4격*** 재귀대명사 (영. yourself)

euer (eur-) [소유대명사] '너희의 ...' (영. your) ※어미변화 할 경우 eur- 임!

eur- ⇒ 소유대명사 euer- 가 어미변화 할 때의 형태!

Euro (화폐 단위) 유로

Europa [고유명사] (대륙 명) 유럽

Eva [고유명사] (여자 이름) 에파

eventuell

① [부사어] 어쩌면, 경우에 따라서는 (영. possibly, perhaps)

② [형용사] (경우에 따라) 어쩌면 가능한 (영. possible)

Examen, *das* (복수: die Examen) 시험, 졸업시험 ; Examen machen 졸업시험 보다

Export, *der* (복수: die Export***e***, 보통 ***단수*** 사용!) 수출

extra [부사어] 특별히, 추가로

Fabrik, *die* (복수: die Fabrik***en***) 공장

Fach, *das* (복수: die Fäch***er***) ① 과목 ② 전문 분야

Fachmann, *der* (복수: die Fach***leute***) 전문가

fahren

① [자동사] (차량을 타고) 가다 ※***장소 이동*** 자동사 → 완료형「***sein*** ... pp」

② [타동사] (차량을) 운전하다 ※완료형「***haben*** ... pp」

* 3 기본형: **fahren - fuhr - gefahren**

* 현재 시제, 단수 2, 3인칭 불규칙 변화: du fährs*t* ; er fähr*t*

Fahrkarte, *die* (복수: die Fahrkarte***n***) 승차권, 차표

Fahrrad, *das* (복수: die Fahrr**ä**d*er*) 자전거

fährst ⇒ 동사 fahren의 현재 시제: 주어가 ***du***일 때

Fahrt, *die* (복수: die Fahrt*en*, 보통 *단수* 사용!) 차량을 타고 가기, (차량으로 하는) 여행

fährt ⇒ 동사 fahren의 현재 시제: 주어가 ***er***, ***sie***, ***es***일 때

fährt ... *ab* ⇒ 분리동사 *ab*fahren의 현재 시제: 주어가 ***er***, ***sie***, ***es***일 때

Fall, *der* (복수: die F**ä**ll*e*) 경우 (영. case) ; auf keinen Fall 어떤 경우에도 ... 않다

fallen [자동사] 떨어지다, 넘어지다

※'*장소 이동* 자동사 → 완료형「***sein*** ... pp」

* 3 기본형: **fallen - fiel - gefallen**

* 현재 시제, 단수 2, 3인칭 불규칙 변화: du f**ä**ll*st* ; er f**ä**ll*t*

fällst ⇒ 동사 fallen의 현재 시제: 주어가 ***du***일 때

fällt ⇒ 동사 fallen의 현재 시제: 주어가 ***er***, ***sie***, ***es***일 때

Familie, *die* (복수: die Familie*n*) 가족, 가정

fand ⇒ 동사 finden의 과거형

fangen [타동사] ...을 잡다, 붙잡다 (영. catch)

* 3 기본형: **fangen - fing - gefangen**

* 현재 시제, 단수 2, 3인칭 불규칙 변화: du f**ä**ng*st* ; er f**ä**ng*t*

fängst ⇒ 동사 fangen의 현재 시제: 주어가 ***du***일 때

fängt ⇒ 동사 fangen의 현재 시제: 주어가 ***er***, ***sie***, ***es***일 때

fängt ... *an* ⇒ 분리동사 *an*fangen의 현재 시제: 주어가 ***er***, ***sie***, ***es***일 때

fantastisch [형용사] ① 환상적인 ② 아주 좋은 (= sehr gut)

Farbe, *die* (복수: die Farbe*n*) 색, 색깔

fast [부사어] 거의 (영. almost, nearly)

faul [형용사] 게으른 ; (부사적) 게으르게

fehlen [자동사] :「etw.[주어] fehlt j-m.」*무엇*이 *누구*에게 없다, 결핍되다 ; Was fehlt Ihnen denn? "어디가 아픈가요?"

* 3 기본형 규칙 변화: fehl***en*** - fehl***te*** - ***ge***fehl***t***

Fehler, *der* (복수: die Fehler) 실수, 과오 ; einen Fehler machen 실수하다

Feier, *die* (복수: die Feier***n***) 파티, 축하 잔치

feiern [타동사] ...을 경축하다, ...을 축하하여 행사를 갖다

* 3 기본형 규칙 변화: feier***n*** - feier***te*** - ***ge***feier***t***

feig(e) [형용사] 겁 많은, 비겁한 ; (부사적) 비겁하게

Feigling, *der* (복수: die Feigling***e***) 겁쟁이, 비겁한 사람

Feind, *der* (복수: die Feind***e***) 적 (영. enemy)

Fenster, *das* (복수: die Fenster) 창문

Ferien, *die* (항상 ***복수***임!) 휴가, 방학

fern ① [형용사] 거리가 먼, 원거리의 ② [분리전철&부사어] 멀리, 떨어져

fernsehen (분리동사: sehen ... *fern*) [자동사] TV를 시청하다

* 3 기본형: *fern***sehen** - *fern***sah** (**sah** ... *fern*) - *fern***gesehen**

* 현재 시제, 단수 2, 3인칭 불규칙 변화: du s<u>ie</u>h*st* ... *fern* ; er s<u>ie</u>h*t* ... *fern*

Fernsehen, *das* (***복수 없음!***) (방송으로서의) 텔레비전, TV 방송 ; im Fernsehen TV에서

Fernseher, *der* (복수: die Fernseher) (기계로서의) 텔레비전, TV 수상기

Fernsehgerät, *das* (복수: die Fernsehgerät***e***) 텔레비전, TV 수상기

fertig [형용사]

① 완료된, 끝난 (영. finished) : 「etw.[주어] ist fertig」 *무엇은* 완료된 상태이다

② 「j-d.[주어] ist mit etw.[3] fertig」 *누구는 무엇을* 완료한 상태이다

③ 준비된 (영. ready) : 「j-d.[주어] ist zu etw.[3] fertig」 *누구는 무엇에* 대해 준비된 상태이다

fest [형용사] 견고한, 충실한 (영. solid, tight)

Fest, *das* (복수: die Fest***e***) 축제

Feuer, *das* (복수: die Feuer, 보통 ***단수*** 사용!) 불 (영. fire)

Feuerzeug, *das* (복수: die Feuerzeug***e***) (흡연용) 라이터

Fieber, *das* (***복수 없음!***) (몸의) 열, 고열

fiel ⇒ 동사 fallen의 과거형

Film, *der* (복수: die Film***e***) 영화, 필름

finanzieren [타동사] ...의 비용을 대다, ...을 재정 지원하다

* 3 기본형 규칙 변화: finanzier***en*** - finanzier***te*** - <u>finanzier***t***</u>

형태가 ***-ieren*** 이므로 pp형에서 ge- 탈락!

finden [타동사] ① ...을 발견하다 ② 「finden + 4격 + 형용사」 *4격*이 ...하다고 여기다

* 3 기본형: **finden - fand - gefunden**

fing ⇒ 동사 fangen의 과거형

Firma, *die* (복수: die Firm***en***) 회사

Flasche, *die* (복수: die Flasche***n***) 병 (영. bottle)

fleißig [형용사] 부지런한 ; (부사적) 부지런히

fliegen [자동사] 날다, 비행기 타고 가다

※*장소 이동* 자동사 → 완료형 「***sein*** ... pp」

* 3 기본형: **fliegen - flog - geflogen**

fließen [자동사] (강물 등이) 흐르다 (영. flow)

※*장소 이동* 자동사 → 완료형 「***sein*** ... pp」

* 3 기본형: **fließen - floss - geflossen**

fließend [형용사] ① 흐르는 ② (언어 능력) 유창한 ※동사 fließen의 현재분사!

flog ⇒ 동사 fliegen의 과거형

Flug, *der* (복수: die Fl**ü**g***e***) 비행, 날아가기

Flughafen, *der* (복수: die Flugh**ä**fen) 공항

Fluss, *der* (복수: die Fl**ü**ss***e***) 강 (영. river)

folgen [자동사] 따르다, 좇다 (영. follow) ※***3격*** 요구 동사! : 「etw.[3] folgen」 *무엇*을 따르다

※완료형 「***sein*** ... pp」

* 3 기본형 규칙 변화: folg***en*** - folg***te*** - ***ge***folg***t***

folgend [형용사] 다음의, 뒤에 이어지는 (영. following) ※동사 folgen의 현재분사!

Forschung, *die* (복수: die Forschung***en***, 보통 ***단수*** 사용!) 연구, 연구 활동

Forschungsprojekt, *das* (복수: die Forschungsprojekt***e***) 연구 프로젝트

Foto *das* (복수: die Foto***s***) 사진

fotografieren [타동사/자동사] (...을) 사진 찍다

* 3 기본형 규칙 변화: fotografier***en*** - fotografier***te*** - fotografier***t***

형태가 ***-ieren*** 이므로 pp형에서 ge- 탈락!

Frage, *die* (복수: die Frage***n***) 질문

fragen [자동사] 질문하다 ; 「j-n. fragen」 *누구*에게 질문하다 ※***4격*** 요구 동사!

* 3 기본형 규칙 변화: frag***en*** - frag***te*** - ***ge***frag***t***

Frank [고유명사] (남자 이름) 프랑크

Franka [고유명사] (여자 이름) 프랑카

Frankfurt [고유명사] (도시 명) 프랑크푸르트

Frankreich [고유명사] (국가 명) 프랑스

Franz [고유명사] (남자 이름) 프란츠

Franzose, *der* (복수: die Franzose***n***) 프랑스인, 프랑스 남자

※주어를 제외한 ***단수 2, 3, 4격***이 모두 복수형처럼 Franzose***n*** 인 ***약변화*** 명사!

Französ*in*, *die* (복수: die Französin***nen***) 프랑스 여자

Französisch [고유명사] (언어 명) 프랑스어, 불어

französisch [형용사] 프랑스의, 프랑스인의, 프랑스어의 ; (부사적) 프랑스적으로

Frau, *die* (복수: die Frau***en***)

① (성인) 여자

② 아내

③ (여자 호칭) '...씨' (영. Mrs. ... ; Miss ...)

Frauenstraße, *die* (지명, 거리 명) 여인의 길

frei [형용사] ① 자유의, 자유로운 ② (방, 집 등이) 임대되지 않은, 비어 있는

Freitag, *der* (복수: die Freitag***e***) 금요일 ; am Freitag 금요일에

fremd [형용사] 낯선, 모르는 (영. strange, foreign)

Fremdsprache, *die* (복수: die Fremdsprache***n***) 외국어

freuen

① [타동사] : 「etw.[주어] freut j-n.」 *무엇은 누구*를 기쁘게 하다

② [***4격*** 재귀동사] : 「sich[4] über etw.[4] freuen」 (***현재, 과거***의) *무엇*에 대해 기뻐하다 ; 「sich[4] auf etw.[4] freuen」 (***미래***의) *무엇*에 대해 기뻐하다

* 3 기본형 규칙 변화: freu***en*** - freu***te*** - ***ge***freu***t***

Freund, *der* (복수: die Freund***e***) 친구, 남자 친구

Freund*in*, *die* (복수: die Freundin***nen***) 여자 친구

freundlich [형용사] 친절한 ; (부사적) 친절하게

Freundlichkeit, *die* (복수: die Freundlichkeit***en***, 보통 *단수* 사용!) 친절, 친절함

Freundschaft, *die* (복수: die Freundschaft***en***, 보통 *단수* 사용!) 우정, 친교

frisch [형용사] 신선한 ; (부사적) 신선하게

Fritz [고유명사] (남자 이름) 프리츠

froh [형용사] 기쁜, 즐거운 ; (부사적) 즐겁게

früh [형용사] (시간적) 이른 ; (부사적) 일찍

früher [부사어] 전에, 과거에 ※형용사 früh의 비교급 형태가 독립적인 부사어로 굳어짐!

Frühling, *der* (복수: die Frühling***e***) 봄 ; im Frühling 봄에

Frühstück, *das* (복수: die Frühstück***e***, 보통 *단수* 사용!) 아침식사

frühstücken [자동사] 아침식사 하다

* 3 기본형 규칙 변화: frühstück***en*** - frühstück***te*** - ***ge***frühstück***t***

fühlen

① [타동사] ...을 느끼다

② [*4격* 재귀동사] : 「sich⁴ wohl fühlen」 느낌이 좋다, 편안한 느낌이 들다

* 3 기본형 규칙 변화: fühl***en*** - fühl***te*** - ***ge***fühl***t***

fuhr ⇒ 동사 fahren의 과거형

führen [타동사] ...을 이끌다, 인도하다

* 3 기본형 규칙 변화: führ***en*** - führ***te*** - ***ge***führ***t***

Führer, *der* (복수: die Führer) 안내자, 이끄는 사람 ※동사 führen의 명사형!

Führerschein, *der* (복수: die Führerschein***e***) 운전면허증

Füller, *der* (복수: die Füller) 만년필

fünf [수사] 5, 다섯

fünf*t*- [수사: *서수*] 다섯째의, 제5의

Fünftagewoche, *die* (*복수 없음!*) 주 5일 근무제

fünfzehn [수사] 15

fünfzehn*t*- [수사: *서수*] 열다섯째의, 제15의

fünfzig [수사] 50

funktionieren [자동사] (기계 등이) 작동하다, 기능을 수행하다

* 3 기본형 규칙 변화: funktionier***en*** - funktionier***te*** - funktionier***t***
형태가 ***-ieren*** 이므로 pp형에서 ge- 탈락!

für [*4격* 전치사] ~을 위한, ~을 위해 (영. for)

furchtbar ① [형용사] 끔찍한 ② [부사어] 몹시, 지독하게 ; furchtbar müde 몹시 피곤한

fürchten [*4격* 재귀동사] : 「sich[4] vor j-m. (etw.[3]) fürchten」 누구를(무엇을) 두려워하다

* 3 기본형 규칙 변화: fürcht***en*** - fürcht***ete*** - ***ge***fürcht***et***

fürs ⇒ (구어체) "für das"의 축약형

Fuß, *der* (복수: die Füß***e***) 발 (영. foot) ; zu Fuß 걸어서

Fußball, *der* (복수: die Fußbäll***e***) ① 축구 ② 축구공

Fußballspiel, *das* (복수: die Fußballspiel***e***) 축구 경기

gab ⇒ 동사 geben의 과거형

Gabel, *die* (복수: die Gabel***n***) 포크

Gabi [고유명사] (여자 이름) 가비

ganz [부사어] 아주, 매우

ganz- [형용사] 전체의, 완전한 (영. whole) ※뒤에 오는 명사를 수식하는 용법뿐임! ; den ganzen Tag 하루 종일 ; die ganze Nacht 밤새도록

gar [부사어]

① (부정어 nicht, kein- 등과 함께 부정문을 강조하여) 전혀 ... 아닌 : 「gar nicht ...」, 「gar kein- ...」

② (놀라움을 표현하여) 정말, 아주

Garage [-ʒə], *die* (복수: die Garage***n***) 차고

Garten, *der* (복수: die Gärten) 정원

Gast, *der* (복수: die Gäst***e***) 손님

gebären [타동사] (아이를) 낳다, 출산하다

* 3 기본형: **gebären - gebar - geboren**

Gebäude, *das* (복수: die Gebäude) 건물

geben [타동사] ...을 주다 (영. give) ;

「j-m. etw.[4] geben」 *누구*에게 *무엇*을 주다 ; 「Es gibt + 4격」 '...이 있다'

* 3 기본형: **geben - gab - gegeben**

* 현재 시제, 단수 2, 3인칭 불규칙 변화: du gibst ; er gibt

gebeten ⇒ 동사 bitten의 과거분사(= pp형)

Gebirge, *das* (복수: die Gebirge) (***집합적*** 의미) 산, 산맥

geblieben ⇒ 동사 bleiben의 과거분사(= pp형)

geboren [형용사] 태어난 ※동사 gebären의 과거분사(= pp형)

geboten ⇒ 동사 bieten의 과거분사(= pp형)

gebracht ⇒ 동사 bringen의 과거분사(= pp형)

Gebrauch, *der* (복수: die Gebr**ä**uch***e***) 사용, 이용

Geburt, *die* (복수: die Geburt***en***) 출생, 탄생

Geburtstag, *der* (복수: die Geburtstag***e***) 생일, 출생일 ;

Geburtstag haben 생일이다 ; zum Geburtstag 생일을 위해

Geburtstagsparty, *die* (복수: Geburtstagsparty***s***) 생일 파티

gedacht ⇒ 동사 denken의 과거분사(= pp형)

gedurft ⇒ 화법조동사 dürfen의 과거분사(= pp형)

gefahren ⇒ 동사 fahren의 과거분사(= pp형)

gefährlich [형용사] 위험한 ; (부사적) 위험하게

Gefallen, *der* (복수: die Gefallen) 호의, 친절 ;

「j-m. einen Gefallen tun」 *누구*에게 호의를 베풀다 ;

Würden Sie mir bitte einen Gefallen tun? "제 부탁 하나 들어주시겠습니까?"

gefallen [자동사] : 「j-m. gefallen」 *누구*의 마음에 들다 ※***3격*** 요구 동사!

* 3 기본형: *ge***fallen** - *ge***fiel** - *ge***fallen**

형태가 ***ge-*** 이므로 pp형에서 ge- 탈락!

* 현재 시제, 단수 2, 3인칭 불규칙 변화: du gef**ä**llst ; er gef**ä**llt

gefallen ⇒ 동사 fallen 및 gefallen의 과거분사(= pp형)

gefällt ⇒ 동사 gefallen의 현재 시제: 주어가 ***er***, ***sie***, ***es***일 때

gefangen ⇒ 동사 fangen의 과거분사(= pp형)

gefiel ⇒ 동사 fallen 및 gefallen의 과거분사(= pp형)

geflogen ⇒ 동사 fliegen의 과거분사(= pp형)

gefunden ⇒ 동사 finden의 과거분사(= pp형)

gegangen ⇒ 동사 gehen의 과거분사(= pp형)

gegeben ⇒ 동사 geben의 과거분사(= pp형)

gegen [*4격* 전치사] ① ~에 반대로 (영. against) ② (대략의 시각) 「gegen ... Uhr」 ...시 경에

Gegenteil, *der* (복수: die Gegenteil*e*) 반대, 반대되는 것 ;
Nein, im Gegenteil! "아니야, 그 반대야!"

gegessen ⇒ 동사 essen의 과거분사(= pp형)

gehabt ⇒ 동사 haben의 과거분사(= pp형)

gehalten ⇒ 동사 halten의 과거분사(= pp형)

gehen [자동사] 가다 (영. go) ;
Wie geht es Ihnen? "어떻게 지내십니까?" ; Das geht nicht! "그건 불가능해요."
※*장소 이동* 자동사 → 완료형 「***sein*** ... pp」
* 3 기본형: **gehen - ging - gegangen**

geholfen ⇒ 동사 helfen의 과거분사(= pp형)

gehören [자동사]
① 「etw.[주어] gehört j-m.」 (소유) *무엇은 누구의 것이다* ※***3격*** 요구 동사!
② 「etw.[주어] gehört zu etw.[3]」 (소속) *무엇은 무엇에 속하다*
* 3 기본형 규칙 변화: *gehör**en*** - *gehör**te*** - *gehör**t***
형태가 ***ge-*** 이므로 pp형에서 ge- 탈락!

gekannt ⇒ 동사 kennen의 과거분사(= pp형)

gekommen ⇒ 동사 kommen의 과거분사(= pp형)

gekonnt ⇒ 화법조동사 können의 과거분사(= pp형)

geladen ⇒ 동사 laden의 과거분사(= pp형)

Geld, *das* (복수: die Geld***er***, 보통 *단수* 사용!) 돈

gelegen ⇒ 동사 liegen의 과거분사(= pp형)

Gelegenheit, *die* (복수: die Gelegenheit***en***) 기회 (= die Chance)

gelesen ⇒ 동사 lesen의 과거분사(= pp형)

gelogen ⇒ 동사 lügen의 과거분사(= pp형)

gelten [자동사] 적용되다, 해당하다 (영. be valid ; be in force)

* 3 기본형: **gelten - galt - gegolten**

* 현재 시제, 단수 2, 3인칭 불규칙 변화: du gilt*st* ; er gil*t*

gemeinsam [형용사] 공동의 ; (부사적) 공동으로 (영. common)

gemusst ⇒ 화법조동사 müssen의 과거분사(= pp형)

gemütlich [형용사] 아늑한, 분위기가 좋은 (영. comfortable)

genau [형용사] 정확한, 자세한 ; (부사적) 정확히, 자세히 ;

Genaueres 더 정확한 것 ※형용사 비교급 Genauer의 ***중성***명사화!

genommen ⇒ 동사 nehmen의 과거분사(= pp형)

genug [부사어] (형용사 뒤에 위치하여) 「형용사 + genug」 '충분히 ...한' (영. enough)

Gepäck, *das* (복수: die Gepäck***e***) 수하물, (여행을 위한) 짐

gerade ① [부사어] (시간적) 방금, 막, 바로 지금 (영. just) ② [형용사] 똑바른, 곧은

Gerät, *das* (복수: die Gerät***e***) 기계, 기구

Gerda [고유명사] (여자 이름) 게르다

Gericht, *das* (복수: die Gericht***e***) 음식, 요리

Germanistik, *die* (***복수 없음!***) 독어독문학

gern(e) [부사어] 즐겨, 기꺼이, ...하기를 좋아하다

* 3 비교형: gern - ***lieber*** - ***liebst***

gerufen ⇒ 동사 rufen의 과거분사(= pp형)

geschah ⇒ 동사 geschehen의 과거형

Geschäft, *das* (복수: die Geschäft***e***) ① 상점, 가게 ② 사업

geschehen [자동사] 일어나다, 발생하다

※***상태 변화*** 자동사 → 완료형「***sein*** ... pp」

* 3 기본형: **geschehen - geschah - geschehen**

* 현재 시제, 단수 2, 3인칭 불규칙 변화: du geschieh*st* ; er geschieh*t*

Geschenk, *das* (복수: die Geschenk***e***) 선물

Geschichte, *die* (복수: die Geschichte***n***) ① 역사 (이 경우 항상 ***단수*** 사용!) ② 이야기

geschieden [형용사] 이혼한 ※동사 scheiden의 과거분사(= pp형)

geschieht ⇒ 동사 geschehen의 현재 시제: 주어가 ***er***, ***sie***, ***es***일 때

geschlafen ⇒ 동사 schlafen의 과거분사(= pp형)

geschlagen ⇒ 동사 schlagen의 과거분사(= pp형)

geschlossen ⇒ 동사 schließen의 과거분사(= pp형)

geschrieben ⇒ 동사 schreiben의 과거분사(= pp형)

Geschwister, *die* (항상 ***복수***임!) 형제자매

geschwommen ⇒ 동사 schwimmen의 과거분사(= pp형)

gesehen ⇒ 동사 sehen의 과거분사(= pp형)

gesessen ⇒ 동사 sitzen의 과거분사(= pp형)

Gesicht, *das* (복수: die Gesicht*e*) 얼굴

gesollt ⇒ 화법조동사 sollen의 과거분사(= pp형)

gespannt [형용사] 긴장한, 기대에 부푼, 호기심에 찬 ※동사 spannen의 과거분사(= pp형)

gestanden ⇒ 동사 stehen의 과거분사(= pp형)

gestern [부사어] 어제, 어저께 ; gestern Vormittag 어제 오전 ; gestern Abend 어제 저녁

gestiegen ⇒ 동사 steigen의 과거분사(= pp형)

gestorben ⇒ 동사 sterben의 과거분사(= pp형)

gestritten ⇒ 동사 streiten의 과거분사(= pp형)

gesund [형용사] ① 건강한 ② 건강에 좋은

Gesundheit, *die* (복수: die Gesundheit***en***, 보통 ***단수*** 사용!) 건강

getan ⇒ 동사 tun의 과거분사(= pp형)

getragen ⇒ 동사 tragen의 과거분사(= pp형)

getroffen ⇒ 동사 treffen의 과거분사(= pp형)

getrunken ⇒ 동사 trinken의 과거분사(= pp형)

gewachsen ⇒ 동사 wachsen의 과거분사(= pp형)

gewann ⇒ 동사 gewinnen의 과거분사(= pp형)

gewesen ⇒ 동사 sein의 과거분사(= pp형)

gewinnen [타동사] ...을 쟁취하다, ...에서 이기다 (영. win)

* 3 기본형: **gewinnen - gewann - gewonnen**

gewöhnen [*3격* 재귀동사] : 「sich[3] an etw.[4] gewöhnen」 *무엇*에 익숙해지다

* 3 기본형 규칙 변화: *gewöhn**en*** - *gewöhn**te*** - *gewöhn**t***

형태가 ***ge-*** 이므로 pp형에서 ge- 탈락!

gewollt ⇒ 화법조동사 wollen의 과거분사(= pp형)

gewonnen ⇒ 동사 gewinnen의 과거분사(= pp형)

geworden ⇒ 수동문의 조동사 werden의 과거분사(= pp형)

gewusst ⇒ 동사 wissen의 과거분사(= pp형)

gib ⇒ 동사 geben의 ***du***-명령문 형태

gibst ⇒ 동사 geben의 현재 시제: 주어가 ***du***일 때

gibt ⇒ 동사 geben의 현재 시제: 주어가 ***er***, ***sie***, ***es***일 때

gilt ⇒ 동사 gelten의 현재 시제: 주어가 ***er***, ***sie***, ***es***일 때

ging ⇒ 동사 gehen의 과거형

Gisela [고유명사] (여자 이름) 기젤라

Glas, ***das*** (복수: die Gläs***er***) 유리, 유리컵 ; ein Glas Milch 우유 한 잔

glauben [타동사/자동사] (...을) 믿다, 생각하다 (영. believe)

* 3 기본형 규칙 변화: glaub***en*** - glaub***te*** - ***ge***glaub***t***

gleich ① [부사어] 곧, 즉시 ② [형용사] 같은, 동일한

Glück, ***das*** (복수: die Glück***e***, 보통 ***단수*** 사용!) 행운 ;
Glück haben 운이 좋다 ; zum Glück 운 좋게도

glücklich [형용사] 행복한, 운이 좋은

Goethe [고유명사] (독일 작가 이름) 괴테 (= “Johann Wolfgang von Goethe”)

golden [형용사] 금의, 금빛의

Grad, ***das*** (복수: die Grad***e***) ① 정도 ② (온도, 각도) ‘...도’ (영. grade)

Grammatik, ***die*** (복수: die Grammatik***en***) ① 문법 (이 경우 항상 ***단수*** 사용!) ② 문법책

gratulieren [자동사] : 「j-m. zu etw.[3] gratulieren」 *누구*에게 *무엇*에 대해 축하하다 ; 「j-m. zum Geburtstag gratulieren」 *누구*에게 생일 축하하다

* 3 기본형 규칙 변화: gratulier***en*** - gratulier***te*** - gratulier***t***
형태가 ***-ieren*** 이므로 pp형에서 ge- 탈락!

groß [형용사] 큰, 키가 큰

* 3 비교형: groß - gr**ö**ß***er*** - gr**ö**ß***t***

Großeltern, *die* (항상 ***복수***임!) 조부모

größer ⇒ 형용사 groß의 비교급 형태

Großmutter, *die* (복수: die Großm**ü**tter) 할머니

Großvater, *der* (복수: die Großv**ä**ter) 할아버지

grün [형용사] 녹색의, 초록의

gründen [타동사] ...을 설립하다, 건설하다

* 3 기본형 규칙 변화: gründ***en*** - gründ***ete*** - ***ge***gründ***et***

gründlich [형용사] 철저한, 근본적인 ; (부사적) 철저하게

Gruppe, *die* (복수: die Gruppe***n***) 그룹, 단체

grüßen [타동사] ...에게 인사하다 ; 「j-n. grüßen」 *누구*에게 인사하다 ※***4격*** 요구 동사!

* 3 기본형 규칙 변화: grüß***en*** - grüß***te*** - ***ge***grüß***t***

gut [형용사] 좋은 ; (부사적) 좋게, 잘 ; Guten Abend! (저녁 인사), Guten Tag! (낮 인사)

* 3 비교형: gut - ***besser*** - ***best***

Gymnasium, *das* (복수: die Gymnasi***en***) 김나지움
(독일의 학제에서 초등학교와 대학교를 연결하는 9년제 인문계 중·고등학교)

Haar, *das* (복수: die Haar***e***, 보통 ***복수*** 사용!) 머리카락, 털

-haarig [형용사] 머리카락이 ...한 ; schwarzhaarig 검은 머리색의

haben ① [타동사] ...을 가지고 있다 ② [조동사] 완료 형식 「***haben*** ... pp」에 사용됨. (영. have)

* 3 기본형: **haben - hatte - gehabt**

* 현재 시제, 단수 2, 3인칭 불규칙 변화: ich hab*e* ; du **hast** ; er (sie, es) **hat** ;
wir hab*en* ; ihr hab*t* ; sie, Sie hab*en*

Hafen, *der* (복수: die H**ä**fen) 항구

halb [형용사] 반의, 1/2의 ; eine halbe Stunde 반시간 동안, 30분 동안

Halbinsel, *die* (복수: die Halbinsel***n***) 반도 (영. peninsula)

half ⇒ 동사 helfen의 과거형

Hälfte, *die* (복수: die Hälfte***n***) 반, 1/2

hallo (인사말) 안녕!

hält ⇒ 동사 halten의 현재 시제: 주어가 ***er, sie, es***일 때

halten

① [타동사] 생각하다, 여기다 : Was halten Sie von ...? "...에 대해 어떻게 생각하십니까?" ; 「halten + 4격 + für 4격(혹은 형용사)」 '...을 ...하다고 여기다, 간주하다'

② ...을 잡고 있다 (영. hold)

③ [자동사] 멈추다, 정지하다 ; Halt doch! "멈춰라!"

* 3 기본형: **halten - hielt - gehalten**

* 현재 시제, 단수 2, 3인칭 불규칙 변화: du h**ä**lt*st* ; er h**ä**l*t*

Haltestelle, *die* (복수: die Haltestelle***n***) 버스 정류장

hältst ⇒ 동사 halten의 현재 시제: 주어가 ***du***일 때

Hamburg [고유명사] (도시 명) 함부르크

Hand, *die* (복수: die H**ä**nd***e***) 손

Handball, *der* (복수: die Handb**ä**ll***e***) 핸드볼

Handy, *das* (복수: die Handy***s***) 휴대폰

hängen ① [타동사] ...을 걸다, 매달다 ② [자동사] 걸려 있다, 매달려 있다 (영. hang)

* 3 기본형: häng***en*** '...을 걸다' - häng***te*** - ***ge***häng***t*** ※***규칙*** 변화!

häng*en* '걸려 있다' - **hing - gehangen**

hast ⇒ 동사 haben의 현재 시제: 주어가 ***du***일 때

hat ⇒ 동사 haben의 현재 시제: 주어가 ***er***, ***sie***, ***es***일 때

hatte ⇒ 동사 haben의 과거형

hätte ⇒ 동사 haben의 접속법 II 형태

häufig [형용사] 빈번한 ; (부사적) 빈번히, 자주

Haupt- [접두어] 주요한 ..., 핵심의 ...

Hauptbahnhof, *der* (복수: die Hauptbahnh**ö**f***e***) 중앙 역

Hauptstadt, *die* (복수: die Hauptst**ä**dt***e***) 수도 (영. capital)

Hauptstadtregion, *die* (복수: die Hauptstadtregion***en***) 수도권, 수도권 지역

Haus, *das* (복수: die H**ä**us***er***) 집, 건물 ;

zu Hause(e) 집에서, nach Haus(e) 집으로, von zu Haus(e) 집으로부터

Hausaufgabe, *die* (복수: die Hausaufgabe***n***, 보통 ***복수*** 사용!) 과제, 숙제 ;

Hausaufgabe***n*** machen 숙제하다

Haushalt, *der* (복수: die Haushalt***e***, 보통 ***단수*** 사용!) 살림살이, 가계

Häus*chen*, *das* (복수: die Häuschen) 작은 집 (명사 Haus의 축소명사!)

Hausfrau, *die* (복수: die Hausfrau***en***) 주부

Heidi [고유명사] (여자 이름) 하이디

Heinrich Böll [고유명사] (독일 작가 이름) 하인리히 뵐

heiraten [타동사] ...와 결혼하다 ; 「j-n. heiraten」 *누구*와 결혼하다

* 3 기본형 규칙 변화: heirat***en*** - heirat***ete*** - ***ge***heirat***et***

heiß [형용사] 뜨거운, 더운 ; (부사적) 뜨겁게

heißen [자동사] (이름이) ...이다 (영. be called)

* 3 기본형: **heißen** - **hieß** - **geheißen**

heizen [타동사] ...을 난방하다 (영. heat)

* 3 기본형 규칙 변화: heiz***en*** - heiz***te*** - ***ge***heiz***t***

helfen [자동사] ...을 돕다 ※***3격*** 요구 동사! ; 「j-m. bei etw.[3] helfen」 *누구*를 *무엇*할 때 돕다

* 3 기본형: **helfen** - **half** - **geholfen**

* 현재 시제, 단수 2, 3인칭 불규칙 변화: du hilf*st* ; er hilf*t*

Helmut [고유명사] (남자 이름) 헬무트

Hemd, *das* (복수: die Hemd*en*) 와이셔츠, 런닝셔츠

Herbst, *der* (복수: die Herbst*e*) 가을 ; im Herbst 가을에

Herr, *der* (복수: die Herr*en*) ① 신사 ② (남자 호칭) '...씨' (영. Mr. ...)

※주어를 제외한 ***단수 2, 3, 4격***이 모두 Herr***n*** 임!

Herrenanzug, *der* (복수: die Herrenanz**ü**g*e*) 신사용 정장

Herz, *das* (복수: die Herz*en*) 심장

Herzinfarkt, *der* (복수: die Herzinfarkt*e*) 심장마비

herzlich [형용사] 진심의 ; (부사적) 진심으로 ; Herzlichen Dank! "진심으로 감사합니다!"

heute [부사어] 오늘 ; heute Abend 오늘 저녁

heutzutage [부사어] 오늘날 (영. nowadays)

hielt ⇒ 동사 halten의 과거형

hier [부사어] 여기에, 이곳에 (영. here)

hilf ⇒ 동사 helfen의 ***du***-명령문 형태

Hilfe, *die* (복수: die Hilfe*n*) 도움, 보조

hilfst ⇒ 동사 helfen의 현재 시제: 주어가 ***du***일 때

hilft ⇒ 동사 helfen의 현재 시제: 주어가 ***er, sie, es***일 때

Himalaya, *der* (지명) 히말라야 산맥

Himmel, *der* (복수: die Himmel, 보통 ***단수*** 사용!) 하늘

hinten [부사어] 뒤에, 뒤에서 (영. at the back)

hinter [***3 · 4격*** 전치사] ① (***3격***: 위치) ~뒤에 ② (***4격***: 방향) ~뒤로 (영. behind)

Hobby, *das* (복수: die Hobby*s*) 취미

hoch, hoh- [형용사] 높은 (영. high) ; wie hoch? 얼마나 높은?, 얼마나 높게? (영. how high?)

(1) 동사 sein 등의 ***형용사 보어, 부사어***일 경우 ***hoch***임: Der Preis ist **hoch**. "가격이 높다."

(2) 뒤에 오는 ***명사를 수식***할 경우는 ***hoh-***임: ein **hoh***er* Berg 높은 산

* 3 비교형: hoch (hoh-) - h**ö**h***er*** - h**ö**ch***st***

hochsteigen (분리동사: steigt ... *hoch*) [자동사] 올라가다, 상승하다

※***장소 이동*** 자동사 → 완료형 「***sein*** ... pp」

* 3 기본형: *hoch***steigen** - *hoch***stieg** (**stieg** ... *hoch*) - *hoch***gestiegen**

höchst ⇒ 형용사 hoch (hoh-)의 최상급

Hochwasser, *das* (**복수 없음!**) 홍수

Hochzeit, *die* (복수: die Hochzeit***en***) 결혼, 결혼식

Hochzeitstag, *der* (복수: die Hochzeitstag***e***) 결혼일, 결혼기념일

Hof, *der* (복수: die H**ö**f***e***) 뜰, 마당 (영. yard, court)

hoffen [타동사] ...을 희망하다, 바라다

* 3 기본형 규칙 변화: hoff***en*** - hoff***te*** - ***ge***hoff***t***

hoffentlich [부사어] 희망컨대 (...이기를), 바라건대 (...이면 좋겠다)

höflich [형용사] 공손한, 예의 바른, 상냥한 ; (부사적) 공손하게

hoh- ⇒ 형용사 hoch가 어미변화 할 때 형태!

höher ⇒ 형용사 hoch (hoh-)의 비교급

holen [타동사] ...을 가져오다 (영. fetch, get)

* 3 기본형 규칙 변화: hol***en*** - hol***te*** - ***ge***hol***t***

hören [타동사] ...을 듣다 (영. hear) ; 「hören + 4격 ... 동사 원형」 *4격*이 ...하는 것을 듣다

* 3 기본형 규칙 변화: hör***en*** - hör***te*** - ***ge***hör***t***

Hörmann [고유명사] (가족 이름, 성) 회어만

Hose, *die* (복수: die Hose***n***) 바지

Hotel, *das* (복수: die Hotel***s***) 호텔

hübsch [형용사] 예쁜, 귀여운

Hund, *der* (복수: die Hund***e***) 개 (영. dog)

hundert [수사] 100, 백

Hunger, *der* (**복수 없음!**) 배고픔 ; (keinen) Hunger haben 배가 (안) 고프다

Hut, *der* (복수: die H**ü**t***e***) 모자, 중절모 (영. hat)

I

ich [인칭대명사] 나는, 내가 (영. I)

ihm ⇒ 인칭대명사 er('그는') 및 es('그것은')의 ***3격*** 형

ihn ⇒ 인칭대명사 er('그는')의 ***4격*** 형 (영. him)

Ihnen ⇒ 인칭대명사 Sie('당신은, 당신들은')의 ***3격*** 형

ihnen ⇒ 인칭대명사 sie('그들은')의 ***3격*** 형

ihr [인칭대명사] 너희는, 너희가 (영. you)

ihr ⇒ 인칭대명사 sie('그녀는')의 ***3격*** 형

Ihr- [소유대명사] '당신의 ...', '당신들의 ...' (영. your)

ihr- [소유대명사] ① '그녀의 ...' (영. her) ② '그들의 ...' (영. their)

im ⇒ "in dem"의 축약형

immer [부사어] 항상, 언제나 ; immer noch (지금까지도) 여전히 계속

in [***3・4격*** 전치사] ① (***3격***: 위치) ~안에, ~에 ② (***4격***: 방향) ~안으로, ~로 (영. in)

Inflation, *die* (복수: die Inflation***en***, 보통 ***단수*** 사용!) 인플레이션

Information, *die* (복수: die Information***en***) 정보

Inge [고유명사] (여자 이름) 잉에

Ingo [고유명사] (남자 이름) 잉고

Ingrid [고유명사] (여자 이름) 잉그리드

ins ⇒ "in das"의 축약형

Insel, *die* (복수: die Insel***n***) 섬 (영. Island)

intelligent [형용사] 머리 좋은, 영리한, 현명한

* 3 비교형: intelligent - intelligent***er*** - intelligent***est***

interessant [형용사] 흥미 있는, 재미있는

* 3 비교형: interessant - interessant***er*** - interessant***est***

interessieren

① [타동사] : 「etw.[주어] interessiert j-n.」 *무엇은 누구에게 흥미를 주다*

② [*4격* 재귀동사] : 「sich[4] für etw.[4] interessieren」 *무엇에 흥미를 갖다*

* 3 기본형 규칙 변화: interessier***en*** - interessier***te*** - interessier***t***
형태가 ***-ieren*** 이므로 pp형에서 ge- 탈락!

Internet, *das* (복수: die Internet***s***, 보통 *단수* 사용!) 인터넷

inzwischen [부사어] 그 사이에, 그러는 동안에 (영. meanwhile, in the meantime)

Irene [고유명사] (여자 이름) 이레네

irgend '그 어떤 ...'

※ irgend *jemand* ; irgend *etwas* ; irgend *ein-* 등 부정대명사 및 부정관사와 결합하여 불특정성을 강조함! (영. some, any)

iss ⇒ 동사 essen의 ***du***-명령문 형태

isst ⇒ 동사 essen의 현재 시제: 주어가 ***du*** 혹은 ***er***, ***sie***, ***es***일 때

ist ⇒ 동사 sein의 현재 시제: 주어가 ***er***, ***sie***, ***es***일 때

Italien [고유명사] (국가 명) 이탈리아

ja [부사어] ① 예, 응 (영. yes)

② 알다시피 ...잖아 (말하는 내용을 상대방이 동의하거나 인정해 주기를 기대할 때 사용됨.)

③ 정말 ...하군요! (화자의 놀람을 표현함.) : Das ist ja teuer! "이거 정말 비싸구나!"

Jacke, *die* (복수: die Jacke***n***) 재킷

Jackentasche, *die* (복수: die Jackentasche***n***) 재킷 주머니

Jahr, *das* (복수: die Jahr***e***) 해, 년 (영. year) ; dieses Jahr 금년에

Jahrhundert, *das* (복수: die Jahrhundert***e***) 세기 (영. century)

Jan [고유명사] (남자 이름) 얀

Jana [고유명사] (여자 이름) 야나

Januar, *der* (복수: die Januar***e***, 보통 *단수* 사용!) 1월 ; im Januar 1월에

Japanisch [고유명사] (언어 명) 일본어

japanisch [형용사] 일본의, 일본인의, 일본어의 ; (부사적) 일본식으로

je [부사어] (과거 혹은 미래의) 언젠가 (= jemals) (영. ever)

jed- [부정대명사] 모든 ..., 매 ... ※***정관사 d-*** 어미변화! (영. every, each) ; jeden Tag 매일

jeder [부정대명사] 모두가, 각자가 (영. everyone, everybody)

jemand [부정대명사] 누군가 (영. someone, somebody)

jen- [지시대명사] 저 ... ※***정관사 d-*** 어미변화! (영. that)

Jens [고유명사] (남자 이름) 옌스

jetzt [부사어] 지금, 현재

Job, *der* (복수: die Job***s***) (방학, 휴가 등에 일시적으로 행하는) 부업, 아르바이트, 일자리

Jochen [고유명사] (남자 이름) 요헨

Jonas [고유명사] (남자 이름) 요나스

Journalist, *der* (복수: die Journalist***en***) 저널리스트, 기자

※주어를 제외한 ***단수 2, 3, 4격***이 모두 복수형과 동일하게 Journalist***en*** 인 ***약변화*** 명사!

Juli, *der* (복수: die Juli***s***, 보통 ***단수*** 사용!) 7월 ; im Juli 7월에

jung [형용사] 젊은, 어린

* 3 비교형: jung - jüng***er*** - jüng***st***

Junge, *der* (복수: die Junge***n***) 소년

※주어를 제외한 ***단수 2, 3, 4격***이 모두 복수형과 동일하게 Junge***n*** 인 ***약변화*** 명사!

jünger ⇒ 형용사 jung의 비교급 형태

Jura (관사 없음!) 법학

Jürgen [고유명사] (남자 이름) 위르겐

Jutta [고유명사] (여자 이름) 유타

Kaffee, *der* (복수: die Kaffee***s***, 물질명사로서 보통 *단수* 사용!) 커피

Kahn [고유명사] (가족 이름, 성) 칸

kalt [형용사] 찬, 차가운 ; (부사적) 차게, 차갑게

  * 3 비교형: kalt - k**ä**lt***er*** - k**ä**lte***st***

kam ⇒ 동사 kommen의 과거형

Kamera, *die* (복수: die Camera***s***) 카메라

kann ⇒ 화법조동사 können의 현재 시제: 주어가 ***ich*** 혹은 ***er***, ***sie***, ***es***일 때

kannst ⇒ 화법조동사 können의 현재 시제: 주어가 ***du***일 때

kannte ⇒ 동사 kennen의 과거형

kaputt [형용사] 고장 난, 망가진

Karin [고유명사] (여자 이름) 카린

Karte, *die* (복수: die Karte***n***) 엽서, 카드 ; Karten spielen 카드놀이를 하다

Kartoffel, *die* (복수: die Kartoffel***n***) 감자

Kassette, *die* (복수: die Kassette***n***) 카세트

Katharina [고유명사] (여자 이름) 카타리나

Kauf, *der* (복수: die K**ä**uf***e***) 구매, 구입

kaufen

  ① [타동사] ...을 사다, 사주다 : 「j-m. etw.[4] kaufen」 *누구*에게 *무엇*을 사주다

  ② [***3격*** 재귀동사] : 「sich[3] etw.[4] kaufen」 (자신을 위해) *무엇*을 구입하다

  * 3 기본형 규칙 변화: kauf***en*** - kauf***te*** - ***ge***kauf***t***

Kaufhaus, *das* (복수: die Kaufh**ä**us***er***) 백화점

Kaufmann, *der* (복수: die Kauf***leute***) 상인

Kaukasus, *der* (지명) 코카서스 산맥

kein- [부정대명사]

① (명사를 부정하여 부정문을 만들어) '... 아니다', '... 않다'

※***부정관사 ein-***처럼 어미변화 하지만, ***복수***명사의 경우 ***정관사 d-*** 처럼 어미변화 함! (영. no) ;

「kein- ... mehr」 더 이상 ... 않다 (영. no more)

② (앞에 나온 특정 명사를 받으며, 「***kein-*** + 명사」의 축약형임.) 아무도 ... 않다, 하나도 ... 않다

※받고 있는 명사의 성과 수, 그리고 해당 격에 일치하여 ***정관사 d-*** 처럼 어미변화 함!

kennen [타동사] ...을 알고 있다, 누구를 알고 지내다 (영. know ; be acquainted with)

* 3 기본형: **kennen - kannte - gekannt**

kennen lernen [타동사] ...을 알게 되다, 누구를 사귀다

※문장 안에서 kennen은 마치 분리전철처럼 문장 맨 뒤에 위치함.

* 3 기본형 규칙 변화:

kennen lern***en*** - *kennen* lern***te*** (lern***te*** ... *kennen*) - *kennen* ***ge***lern***t***

Kerstin [고유명사] (여자 이름) 케르스틴

Kilometer, *der* (복수: die Kilometer) (단위) 킬로미터 (km)

Kind, *das* (복수: die Kind***er***) 어린이, 아이, 자녀

Kindergarten, *der* (복수: die Kindergä̈rten) 유치원

Kindertag, *der* (***복수 없음!***) 어린이날

Kinderwäsche, *die* (복수: die Kinderwäsche***n***) 아동용 내의

Kinderzimmer, *das* (복수: die Kinderzimmer) 아이들 방

Kindheit, *die* (복수: die Kindheit***en***, 보통 ***단수*** 사용!) 어린 시절

Kino, *das* (복수: die Kino***s***) 영화관 ; ins Kino gehen 영화 보러 가다

Kirche, *die* (복수: die Kirche***n***) 교회

Klage [고유명사] (가족 이름, 성) 클라게

klar [형용사] 맑은, 명확한 ; (부사적) 맑게, 명확히 ; Ja, klar! "그래, 물론이지!"

klassisch [형용사] 고전의, 고전적인

Klaus [고유명사] (남자 이름) 클라우스

Klavier, *das* (복수: die Klavier***e***) 피아노 ; Klavier spielen 피아노 치다

Kleid, *das* (복수: die Kleid***er***) 원피스, 드레스

Kleider, *die* (항상 ***복수***임!) 옷 (***집합적*** 의미!)

Kleiderschrank, *der* (복수: die Kleiderschr**ä**nk***e***) 옷장

klein [형용사] 작은, 어린 ; (부사적) 작게

Klein [고유명사] (가족 이름, 성) 클라인

Kleinigkeit, *die* (복수: die Kleinigkeit***en***) 작은 것, 하찮은 것

Klima, *das* (복수: die Klima***s*** 혹은 Klima***ta***, 보통 ***단수*** 사용!) 기후

Klimaanlage, *die* (복수: die Klimaanlage***n***) 에어컨

klingeln [자동사] (알람시계, 전화 등이) 따르릉 울리다

* 3 기본형 규칙 변화: klingel***n*** - klingel***te*** - ***ge***klingel***t***

klug [형용사] 영리한, 현명한 ; (부사적) 영리하게

* 3 비교형: klug - kl**ü**g***er*** - kl**ü**g***st***

Klug [고유명사] (가족 이름, 성) 클룩

Koch, *der* (복수: die K**ö**ch***e***) 요리사

kochen [타동사/자동사] (...을) 요리하다, 끓이다 (영. cook)

* 3 기본형 규칙 변화: koch***en*** - koch***te*** - ***ge***koch***t***

Kochen, *das* (보통 ***단수*** 사용!) 요리하기 ※동사 kochen의 명사화!

Koffer, *der* (복수: die Koffer) (여행용) 큰 가방, 트렁크

Kollege, *der* (복수: die Kollege***n***) 동료, 남자 동료

※주어를 제외한 ***단수 2, 3, 4격***이 모두 복수형과 동일하게 Kollege***n*** 인 ***약변화*** 명사!

Kolleg*in*, *die* (복수: die Kollegin***nen***) 여자 동료

Köln [고유명사] (도시 명) 쾰른 ; der Kölner Dom 쾰른 대성당

Komma, *der* (복수: die Komma***s*** 혹은 Komma***ta***) 콤마, 쉼표

kommen [자동사] 오다 (영. come)

※***장소 이동*** 자동사 → 완료형「***sein*** ... pp」

* 3 기본형: **kommen** - **kam** - **gekommen**

Kommilitone, *der* (복수: die Kommilitone***n***) (대학의) 학우

※주어를 제외한 ***단수 2, 3, 4격***이 모두 복수형과 동일하게 Kommilitone***n*** 인 ***약변화*** 명사!

kompliziert [형용사] 복잡한 ; (부사적) 복잡하게

König, *der* (복수: die König***e***) 왕

können [화법조동사] (능력, 가능성) ...할 수 있다 (영. can)

* 3 기본형: **können - konnte - gekonnt, können**

* 현재 시제, 주어가 단수일 때 불규칙 변화: ich **kann** ; du **kann*st*** ; er (sie, es) **kann** ; wir könn*en* ; ihr könn*t* ; sie, Sie könn*en*

konnte ⇒ 화법조동사 können의 과거형

könnte ⇒ 화법조동사 können의 접속법 II 형태

konzentrieren [*4격* 재귀동사] : 「sich[4] auf etw.[4] konzentrieren」 *무엇*에 집중하다

* 3 기본형 규칙 변화: konzentrier***en*** - konzentrier***te*** - konzentrier***t***

형태가 ***-ieren*** 이므로 pp형에서 ge- 탈락!

Konzert, *das* (복수: die Konzert***e***) 연주회, 콘서트

Kopf, *der* (복수: die K**ö**pf***e***) 머리

Kopfschmerz, *der* (복수: die Kopfschmerz***en***, 보통 ***복수*** 사용!) 두통

Korea [고유명사] (국가 명) 한국

Koreakrieg, *der* 한국전쟁

Koreaner, *der* (복수: die Koreaner) 한국인, 한국 남자

Koreaner*in*, *die* (복수: die Koreanerin***nen***) 한국 여자

Koreanisch [고유명사] (언어 명) 한국어

koreanisch [형용사] 한국의, 한국인의, 한국어의 ; (부사적) 한국식으로

korrigieren [타동사] ...을 고치다, 바로잡다, 수정하다

* 3 기본형 규칙 변화: korrigier***en*** - korrigier***te*** - korrigier***t***

형태가 ***-ieren*** 이므로 pp형에서 ge- 탈락!

kosten [자동사] 가격이 ...이다, 비용이 ... 들다

* 3 기본형 규칙 변화: kost***en*** - kost***ete*** - ***ge***kost***et***

Kostüm, *das* (복수: die Kostüm***e***) (상・하의로 구성된) 여성용 정장

Kraft, *die* (복수: die Kr**ä**ft***e***) 힘, 능력 ; 「etw.[주어] tritt in Kraft」 *무엇*은 효력이 발생하다

krank [형용사] 아픈, 병든

Krank- 환자, 병든 사람 ※형용사 krank의 명사화!

남성 변화: *der* Krank***e*** / ein Krank***er*** 남자 환자

여성 변화: *die* Krank***e*** / eine Krank***e*** 여자 환자

복수 변화: *die* Krank***en*** / Krank***e*** 환자들

Krankenhaus, *das* (복수: die Krankenh**ä**us***er***) 병원 ; im Krankenhaus liegen 입원해 있다

Krause [고유명사] (가족 이름, 성) 크라우제

Krawatte, *die* (복수: die Krawatte***n***) 넥타이

Kreditkarte, *die* (복수: die Kreditkarte***n***) 신용카드

Kreis, *der* (복수: die Kreis***e***) 원 (영. circle)

Kreislauf, *der* (복수: die Kreisl**ä**uf***e***, 보통 ***단수*** 사용!) 순환, 혈액순환

kreuzen [***4격*** 재귀동사] : 「sich⁴ mit etw.³ kreuzen」 *무엇과* 교차하다

* 3 기본형 규칙 변화: kreuz***en*** - kreuz***te*** - ***ge***kreuz***t***

Kreuzung, *die* (복수: die Kreuzung***en***) 교차로

Krieg, *der* (복수: die Krieg***e***) 전쟁

kriegen [타동사] ...을 받다, 쟁취하다

* 3 기본형 규칙 변화: krieg***en*** - krieg***te*** - ***ge***krieg***t***

Krimi, *der* (복수: die Krimi***s***) (구어체) 범죄 수사극, 탐정 영화

Küche, *die* (복수: die Küche***n***) 부엌

Kuchen, *der* (복수: die Kuchen) 케이크, (간식용) 빵

Kugel, *die* (복수: die Kugel***n***) 구, 공 (영. bowl)

Kugelschreiber, *der* (복수: die Kugelschreiber) 볼펜

kühl [형용사] 시원한, 서늘한 ; (부사적) 시원하게

Kühlschrank, *der* (복수: die Kühlschr**ä**nk***e***) 냉장고

Kuhn [고유명사] (가족 이름, 성) 쿤

Kuli, *der* (복수: die Kuli***s***) 볼펜 ※Kugelschreiber의 약칭으로서 구어체임!

Kultur, *die* (복수: die Kultur***en***) 문화

kümmern [***4격*** 재귀동사] : 「sich⁴ um etw.⁴ kümmern」 *무엇을* 돌보다

* 3 기본형 규칙 변화: kümmer***n*** - kümmer***te*** - ***ge***kümmer***t***

Kunde, *der* (복수: die Kunde***n***) 고객, 단골손님

※주어를 제외한 ***단수 2, 3, 4격***이 모두 복수형과 동일하게 Kunde***n*** 인 ***약변화*** 명사!

Kunst, *die* (복수: die K**ü**nst***e***) 예술, 미술

Kunstmuseum, *das* (복수: die Kunstmuse***en***) 미술관, 미술 박물관

Kunze [고유명사] (가족 이름, 성) 쿤체

Künzel [고유명사] (가족 이름, 성) 퀸첼

Kurs, *der* (복수: die Kurs*e*) 과정, 강좌, 코스

kurz [형용사] 짧은 ; (부사적) 짧게

lachen [자동사] 웃다

* 3 기본형 규칙 변화: lach***en*** - lach***te*** - ***ge***lach***t***

Laden, *der* (복수: die Läden) 가게, 상점 (= das Geschäft)

laden [타동사] (짐을) 싣다 (영. load)

* 3 기본형: **laden - lud - geladen**

* 현재 시제, 단수 2, 3인칭 불규칙 변화: du läd*st* ; er läd*t*

lädt / lädt ... *ein* ⇒ 동사 laden 혹은 분리동사 *ein*laden의 현재 시제: 주어가 ***er***, ***sie***, ***es***일 때

lag ⇒ 동사 liegen의 과거형

Lage, *die* (복수: die Lage***n***, 보통 ***단수*** 사용!) (놓여진) 상황, 상태 (영. situation, location)

Lampe, *die* (복수: die Lampe***n***) 등불, 전등

Land, *das* (복수: die Länd***er***) 국가, 나라

landesweit [형용사] 전국의, 전국적인 ; (부사적) 전국적으로

Landschaft, *die* (복수: die Landschaft***en***) 경치, 풍경

lang [형용사] 긴 ; (부사적) 길게

* 3 비교형: lang, lange - läng***er*** - läng*st*

lange [부사어] 오랫동안 ; wie lange? 얼마나 오랫동안? (영. how long?)

* 3 비교형: lang, lange - läng***er*** - läng*st*

länger ⇒ 형용사 lang, 부사어 lange의 비교급 형태

langsam [형용사] 느린 ; (부사적) 천천히

langweilig [형용사] 지루한 ; (부사적) 지루하게

Lappen, *der* (복수: die Lappen) 헝겊 조각, 행주, 걸레

Lärm, *der* (*복수 없음!*) 소음

las ⇒ 동사 lesen의 과거형

lassen

① 「lassen + 4격 ... 동사 원형」 *4격*으로 하여금 ...하도록 하다 :
Ich lasse ihn kommen. "나는 그 사람이 오게 한다."

② 「lassen + 4격 ... 동사 원형」 *4격*이 ...되도록 하다 :
Ich lasse das Kleid reinigen. "나는 그 드레스가 세탁되도록 한다."

③ 그냥 두다, 내버려 두다 : Lass mich in Ruhe! "나를 좀 가만 내버려 둬!" (영. let, allow)

* 3 기본형: **lassen - ließ - gelassen, lassen**

* 현재 시제, 단수 2, 3인칭 불규칙 변화: du lä*sst* ; er lä*sst*

lässt ⇒ 동사 lassen의 현재 시제: 주어가 ***du*** 혹은 ***er***, ***sie***, ***es***일 때

Lauf, *der* (복수: die Läuf***e***, 보통 *단수* 사용!) 달리기, 진행

laufen [자동사] 달려가다, 달리다 (영. run)

※*장소 이동* 자동사 → 완료형「***sein*** ... pp」

* 3 기본형: **laufen - lief - gelaufen**

* 현재 시제, 단수 2, 3인칭 불규칙 변화: du läuf*st* ; er läuf*t*

läuft ⇒ 동사 laufen의 현재 시제: 주어가 ***du*** 혹은 ***er***, ***sie***, ***es***일 때

Laune, *die* (복수: die Laune***n***) 기분 ; gute (schlechte) Laune haben 기분이 좋다 (나쁘다)

Laura [고유명사] (여자 이름) 라우라

laut [형용사] (소리가) 큰 ; (부사적) 소리 크게

Laut, *der* (복수: die Laut***e***) 음, 소리

leben [자동사] 살다, 생존하다 (영. live)

* 3 기본형 규칙 변화: leb***en*** - leb***te*** - ***ge***leb***t***

Leben, *das* (복수: die Leben, 보통 *단수* 사용!) 삶, 생활

Leder, *das* (복수: die Leder, 보통 *단수* 사용!) 가죽

Ledersofa, *das* (복수: die Ledersofa***s***) 가죽 소파

Ledertasche, *die* (복수: die Ledertasche***n***) 가죽 가방

ledig [형용사] 결혼하지 않은, 미혼인

leer [형용사] 빈, 비어 있는 ; Die Batterie ist leer. "배터리가 다되었다."

legen ① [타동사] ...을 눕히다, ...을 놓다 (영. lay) ② [*4격* 재귀동사] : 「sich⁴ legen」 눕다

* 3 기본형 규칙 변화: leg*en* - leg*te* - *ge*leg*t*

Lehmann [고유명사] (가족 이름, 성) 레만

Lehrer, *der* (복수: die Lehrer) 교사, 남자 교사

Lehrer*in*, *die* (복수: die Lehrerin***nen***) 여교사

leicht [형용사] ① 가벼운 ; (부사적) 가볍게 ② 쉬운 ; (부사적) 쉽게

Leid, *das* (***복수 없음!***) 정신적 고통, 괴로움 ; Tut mir Leid! "유감입니다!" (영. I am sorry!)

leiden

① [자동사] 고통을 겪다 (영. suffer) : 「an etw.³ leiden」 *무엇*(= 질병)으로 고통을 겪다 ; 「unter etw.³ leiden」 *무엇*(= 문제, 어려움 등)으로 괴롭다 ;

② [타동사] ...을 견디다, ...을 참아내다 (영. tolerate) : 「j-n. nicht leiden können」 *누구*를 싫어하다 ; 「etw.⁴ nicht leiden können」 *무엇*을 참지 못하다

* 3 기본형: **leiden - litt - gelitten**

leider [부사어] 유감스럽게도, 아쉽게도 (영. unfortunately)

leihen

① [타동사] : 「j-m. etw.⁴ leihen」 *누구*에게 *무엇*을 빌려주다 (영. lend)

② [*3격* 재귀동사] : 「sich³ etw.⁴ leihen」 *무엇*을 빌리다 (영. borrow)

* 3 기본형: **leihen - lieh - geliehen**

Leipzig [고유명사] (도시 명) 라이프치히

leise [형용사] 조용한, 나직한 ; (부사적) 조용히, 나직하게

Leistung, *die* (복수: die Leistung***en***) 성적, 업적

Leistungspunkt, *der* (복수: die Leistungspunkt***e***) 학점

Lektion, *die* (복수: die Lektion***en***) 단원, 과

lernen [타동사] ...을 배우다, 학습하다 (영. learn)

* 3 기본형 규칙 변화: lern*en* - lern*te* - *ge*lern*t*

lesen [타동사] ...을 읽다

* 3 기본형: **lesen - las - gelesen**
* 현재 시제, 단수 2, 3인칭 불규칙 변화: du lies*t* ; er lies*t*

letzt- [형용사] 마지막의, 최근의 (영. last) ※뒤에 오는 명사를 수식하는 용법뿐임! ;
im letzten Jahr ; letztes Jahr 지난해에 ; letzte Woche 지난 주에

Leute, *die* (항상 ***복수***임!) 사람들 (영. people)

Lexikon, *das* (복수: die Lexik***a***) 사전

Licht, *das* (복수: die Licht***er***) 빛, 등불

lieb [형용사] 사랑하는, 사랑스러운

Liebe, *die* (복수: die Liebe***n***, 보통 ***단수*** 사용!) 사랑, 애정

lieben [타동사] ...을 사랑하다
* 3 기본형 규칙 변화: lieb***en*** - lieb***te*** - ***ge***lieb***t***

lieber [부사어] 오히려 (...이 더 좋다) ※부사어 gern(e)의 비교급 :
Ich trinke lieber Tee als Kaffee. "나는 커피보다는 오히려 차를 더 좋아한다."

Liebesroman, *der* (복수: die Liebesroman***e***) 애정소설

liebst [형용사] 가장 좋아하는 ※부사어 gern(e)의 최상급

liegen [자동사] (사물이) 놓여있다, (사람이) 누워있다 (영. lie)
* 3 기본형: **liegen - lag - gelegen**

liest ⇒ 동사 lesen의 현재 시제: 주어가 ***du*** 혹은 ***er***, ***sie***, ***es***일 때

Lift, *der* (복수: die Lift***e***) 엘리베이터

Linda [고유명사] (여자 이름) 린다

Linie, *die* (복수: die Linie***n***) 선, 열 (영. line)

link [형용사] 왼쪽의

links [부사어] 왼쪽에

Lisa [고유명사] (여자 이름) 리자

Liter, *der* 혹은 *das* (복수: die Liter) (단위) 리터

Literatur, *die* (복수: die Literatur***en***) 문학

Löffel, *der* (복수: die Löffel) 숟가락, 스푼

Lohmann [고유명사] (가족 이름, 성) 로만

London [고유명사] (도시 명) 런던

los [형용사] (동사 sein 등의 형용사 보어로서) 풀린, 느슨해진 ; Was ist denn los? "무슨 일이야?"

los [분리전철&부사어] 출발한, 떠나는 (영. off)

lösen [타동사] (문제, 과제 등) ...을 풀다, 해결하다

* 3 기본형 규칙 변화: lös***en*** - lös***te*** - ***ge***lös***t***

losfahren (분리동사: fahren ... *los*) [자동사] (차를 타고) 떠나다, 출발하다

※***장소 이동*** 자동사 → 완료형「***sein*** ... pp」

* 3 기본형: *los***fahren** - *los***fuhr (fuhr** ... *los***)** - *los***gefahren**

* 현재 시제, 단수 2, 3인칭 불규칙 변화: du fährs*t* ... *los* ; er fähr*t* ... *los*

losgehen (분리동사: gehen ... *los*) [자동사] (걸어서) 떠나다, 출발하다

※'***장소 이동*** 자동사 → 완료형「***sein*** ... pp」

* 3 기본형: *los***gehen** - *los***ging (ging** ... *los***)** - *los***gegangen**

lud ⇒ 동사 laden의 과거형

Luft, *die* (복수: die Lüft*e*) 공기

lügen [자동사] 거짓말하다

* 3 기본형: **lügen - log - gelogen**

Lügner, *der* (복수: die Lügner) 거짓말쟁이

Lust, *die* (복수: die Lüst*e*, 보통 ***단수*** 사용!) 의욕, 의향, 욕망

lustig [형용사] ① (사물이) 재미있는, 우스운 ② (사람이) 쾌활한

machen [타동사]

① ...을 만들다

② ...을 행하다 (영. make) ; Das macht nichts. “아무 문제 안 돼.”, “괜찮아.”

* 3 기본형 규칙 변화: mach***en*** - mach***te*** - ***ge***mach***t***

Mädchen, *das* (복수: die Mädchen) 소녀, 아가씨 ※축소명사!

mag ⇒ 타동사 및 화법조동사 mögen의 현재 시제: 주어가 ***ich*** 혹은 ***er***, ***sie***, ***es***일 때

magst ⇒ 타동사 및 화법조동사 mögen의 현재 시제: 주어가 ***du***일 때

Mai, *der* (복수: die Mai*e*, 보통 ***단수*** 사용!) 5월 ; im Mai 5월에

Mal, *das* (복수: die Mal*e*) ...번, ... 차례 (영. time) ;
das nächste Mal 다음번에 ; das letzte Mal 지난번에

mal [부사어]
① (명령문에 사용되어 요구 내용을 부드럽게 이끌어) 좀 (...하세요)
② (구어체) 한 번 (= einmal)

Mai [고유명사] (가족 이름, 성) 마이

Mama, *die* (복수: die Mama*s*) 엄마

man [부정대명사] 사람들은, 우리는 ※항상 *주어*이며, 3인칭 단수 ***er*** 취급! (영. one, people)

manchmal [부사어] 가끔, 이따금씩

Manfred [고유명사] (남자 이름) 만프레트

Mann, *der* (복수: die Männ*er*) ① (성인) 남자 ; ② 남편

Mantel, *der* (복수: die Mäntel) 외투, 오버코트

Manuskript, *das* (복수: die Manuskript*e*) 원고

Märchen, *das* (복수: die Märchen) 동화

Maria [고유명사] (여자 이름) 마리아

Markt, *der* (복수: die Märkt*e*) 시장, 마켓

Marktstraße, *die* (거리 명, 지명) 마르크트슈트라세

Markus [고유명사] (남자 이름) 마르쿠스

Martin [고유명사] (남자 이름) 마르틴

März, *der* (복수: die März*e*, 주로 *단수* 사용!) 3월 ; im März 3월에

Maschine, *die* (복수: die Maschine*n*) ① 기계 ② 비행기 (= das Flugzeug)

Mathe, *die* (*복수 없음*! 보통 관사 없이 사용!) 수학, 수학 과목 (Mathematik의 구어체 형태!)

Mathelehrer, *der* (복수: die Mathelehrer) 수학 선생

Medizin, *die* (복수: die Medizin*en*) ① 의학 ② 약품

Meer, *das* (복수: die Meer*e*) 바다, 대양

mehr ⇒ viel, viele의 비교급 ;
「kein- ... mehr」, 「nicht ... mehr」 더 이상 ... 않다 (영. not ... any more ; no more ...)

Meier [고유명사] (가족 이름, 성) 마이어

mein- [소유대명사] '나의 ...' (영. my)

meinen [타동사] ...을 의도하다, 생각하다 (영. mean)

* 3 기본형 규칙 변화: mein***en*** - mein***te*** - ***ge***mein***t***

Meinung, *die* (복수: die Meinung***en***) 의견, 생각

meist [형용사] 대부분의 ; (부사적) 주로, 대부분

meist ⇒ viel, viele의 최상급 ; 「am meisten」 가장 많이

Meister, *der* (복수: die Meister) (전문 기술자로서) 대가, 거장

meistern [타동사] (어려운 일을) 완벽하게 하다 (영. master, overcome)

* 3 기본형 규칙 변화: meister***n*** - meister***te*** - ***ge***meister***t***

Menge, *die* (복수: die Menge***n***) ① 다수, 많은 양 : 「eine Menge ... 」 '많은 ...' ② 집합

Mensch, *der* (복수: die Mensch***en***) 인간

※주어를 제외한 ***단수 2, 3, 4격***이 모두 복수형과 동일하게 Mensch***en*** 인 ***약변화*** 명사!

Menü, *das* (복수: die Menü***s***) (전식, 후식 등을 포함하여 차례대로 몇몇 음식이 제공되는) 정식(定食)

merken [타동사] ...을 알아차리다 (영. notice)

* 3 기본형 규칙 변화: merk***en*** - merk***te*** - ***ge***merk***t***

Meter, *der* 혹은 *das* (복수: die Meter) (길이 단위) 미터 (m)

Methode, die (복수: die Methode***n***) 방법

Meyer [고유명사] (가족 이름, 성) 마이어

mich ⇒ ① 인칭대명사 ich('나는')의 ***4격*** 형 (영. me) ② 주어가 ***ich***일 때의 ***4격*** 재귀대명사 (영. myself)

Miete, *die* (복수: die Miete***n***) 세, 임대료

mieten [타동사] ...을 임대하다, ...에 세 들다

* 3 기본형 규칙 변화: miet***en*** - miet***ete*** - ***ge***miet***et***

Milch, *die* (복수: die Milch***e***, 물질명사로서 보통 ***단수*** 사용!) 우유

Million, *die* (복수: die Million***en***) 백만 (1,000,000)

Millionär, *die* (복수: die Millionär***e***) 백만장자, 갑부

mindest ⇒ wenig의 최상급 (= wenigst)

mindestens [부사어] 적어도, 최소한 (= wenigstens)

Mineralwasser, *das* (복수: die Mineralwasser, 물질명사로서 보통 ***단수*** 사용!) 광천수, 생수

Minute, *die* (복수: die Minute***n***) (시간 단위) 분

mir ⇒ ① 인칭대명사 ich('나는')의 ***3격*** 형 ② 주어가 ***ich***일 때의 ***3격*** 재귀대명사

missverstehen [타동사] ...을 오해하다

* 3 기본형: *miss***verstehen** - *miss***verstand** - *miss***verstanden**
형태가 ***miss-*** 이므로 pp형에서 ge- 탈락!

mit [***3격*** 전치사] ① ~와 함께 ② ~을 가지고, (운송 수단) ~을 타고 (영. with)

mit [분리전철&부사어] 같이, 함께

Mitarbeiter, *der* (복수: die Mitarbeiter) 동료 직장인

mitbringen (분리동사: bringen ... *mit*) [타동사] *무엇을* (지참하여) 함께 가져오다, *누구를* (동반하여) 함께 데려오다

* 3 기본형: *mit***bringen** - *mit***brachte** (**brachte** ... *mit*) - *mit***gebracht**

mitgebracht ⇒ 분리동사 *mit*bringen의 과거분사(= pp형)

mitkommen (분리동사: kommen ... *mit*) [자동사] 함께 오다, 함께 가다

※***장소 이동*** 자동사 → 완료형「***sein*** ... pp」

* 3 기본형: *mit***kommen** - *mit***kam** (**kam** ... *mit*) - *mit***gekommen**

Mitmensch, *der* (복수: die Mitmensch***en***) 같은 공동체에 함께 사는 사람

※주어를 제외한 ***단수 2, 3, 4격***이 모두 복수형과 동일하게 Mitmensch***en*** 인 ***약변화*** 명사!

mitnehmen (분리동사: nehmen ... *mit*) [타동사] *무엇을* (지참하여) 함께 가져가다, *누구를* (동반하여) 함께 데려가다

* 3 기본형: *mit***nehmen** - *mit***nahm** (**nahm** ... *mit*) - *mit***genommen**

* 현재 시제, 단수 2, 3인칭 불규칙 변화: du nimm*st* ... *mit* ; er nimm*t* ... *mit*

Mittag, *der* (복수: die Mittag***e***, 보통 ***단수*** 사용!) 정오 ; zu Mittag essen 점심 식사하다

Mittagessen, *das* (복수: die Mittagessen, 보통 ***단수*** 사용!) 점심식사

Mitte, *die* (복수: die Mitte***n***, 보통 ***단수*** 사용!) 가운데, 중앙

mitteilen (분리동사: teilen ... *mit*) [타동사] ...을 전하다, 알리다, 통지하다

* 3 기본형 규칙 변화: *mit*teil***en*** - *mit*teil***te*** (teil***te*** ... *mit*) - *mit****ge***teil***t***

Mitternacht, *die* (***복수 없음!***) 자정, 한밤중

Mittwoch, *der* (복수: die Mittwoch***e***) 수요일 ; am Mittwoch 수요일에

mittwochs [부사어] 수요일에, 수요일마다

Möbel, *das* (복수: die Möbel, 보통 ***복수*** 사용!) 가구, 가구류

mochte ⇒ 동사 및 화법조동사 mögen의 과거형

möchte ⇒ 동사 및 화법조동사 mögen의 접속법 II 형태

möchten [화법조동사] (욕망) ...하고 싶다, ...하기 원하다

※화법조동사 mögen의 접속법 II 형태로서 공손한 표현임. (영. would like to)

* 주어가 단수일 때 불규칙 변화: ich **möchte** ; du **möchte*st*** ; er (sie, es) **möchte** ; wir möchte*n* ; ihr möchte*t* ; sie, Sie möchte*n*

modern [형용사] 현대의, 현대적인 ; (부사적) 현대적으로

mögen

① [타동사] ...을 좋아하다 (영. like)

② [화법조동사] (추측) ...일지도 모르다 (영. may)

* 3 기본형: **mögen - mochte - gemocht, mögen**

* 현재 시제, 주어가 단수일 때 불규칙 변화: ich **mag** ; du **mag*st*** ; er (sie, es) **mag** ; wir mög*en* ; ihr mög*t* ; sie, Sie mög*en*

Möller [고유명사] (가족 이름, 성) 묄러

Moment, *der* (복수: die Moment*e*) 순간 ;
im Moment 현재, 지금 ; einen Moment 잠시, 잠깐 동안

Monat, *der* (복수: die Monat*e*) 달, 개월 ; im nächsten Monat 다음 달에

Monika [고유명사] (여자 이름) 모니카

Montag, *der* (복수: die Montag*e*) 월요일 ; am Montag 월요일에

montags [부사어] 월요일에, 월요일마다

Morgen, *der* (복수: die Morgen) 아침 ; am Morgen 아침에

morgen [부사어] 내일

morgens [부사어] 아침에, 아침마다

Motor, *der* (복수: die Motor*en*) 모터, 엔진

Motorrad, *das* (복수: die Motorr**ä**d*er*) 오토바이

MP3-Player, *der* (복수: die MP3-Player) 엠피쓰리 플레이어

müde [형용사] 피곤한

Müller [고유명사] (가족 이름, 성) 뮐러

München [고유명사] (도시 명) 뮌헨

Museum, *das* (복수: die Muse*en*) 박물관

Musik, *die* (복수: die Musik*en*, 보통 ***단수*** 사용!) 음악

Musiker, *der* (복수: die Musiker) 음악가

Musiklehrer*in*, *die* (복수: die Musiklehrerin*nen*) 여자 음악교사

muss ⇒ 화법조동사 müssen의 현재 시제: 주어가 ***ich*** 혹은 ***er***, ***sie***, ***es***일 때

müssen [화법조동사] (강제, 의무) ...해야 하다 (영. must)

* 3 기본형: **müssen - musste - gemusst, müssen**
* 현재 시제, 주어가 단수일 때 불규칙 변화: ich **muss** ; du **muss*t*** ; er (sie, es) **muss** ; wir müss*en* ; ihr müss*t* ; sie, Sie müss*en*

musst ⇒ 화법조동사 müssen의 현재 시제: 주어가 ***du***일 때

musste ⇒ 화법조동사 müssen의 과거형

müsste ⇒ 화법조동사 müssen의 접속법 II 형태

Mutter, *die* (복수: die Mütter) 어머니

Mutti, *die* (복수: die Mutti*s*) 엄마

nach [***3격*** 전치사] ① ~을 향하여 (영. to, towards) ② (시간적) ~후에 (영. after) ③ ~에 따라서, ~에 따르면 (영. according to)

Nachbar, *der* (복수: die Nachbar*n*) 이웃, 이웃 남자

※주어를 제외한 ***단수 2, 3, 4격***이 모두 복수형처럼 Nachbar***n*** 인 ***약변화*** 명사!

Nachbar*in*, *die* (복수: die Nachbarin*nen*) 이웃 여자

nachdem [종속접속사] (시간적) ...한 뒤에, ...하고 나서 (영. after)

nachher [부사어] 나중에, 후에

Nachkriegszeit, *die* (***복수 없음!***) 전쟁 이후 시대, 전후 시대

Nachmittag, *der* (복수: die Nachmittag*e*) 오후 ;

am Nachmittag 오후에 ; heute Nachmittag 오늘 오후에

Nachricht, *die* (복수: die Nachricht*en*) 소식

nächst- [형용사] ※뒤에 오는 명사를 수식하는 용법뿐임!

① 다음의 (영. next)

② 가장 가까운 (형용사 nah(e)의 최상급)

Nacht, *die* (복수: die Nächt*e*) 밤 ; in der Nacht 밤에

nah(e) [형용사] 가까운, 근처의 ; (부사적) 가깝게

* 3 비교형: nah(e) - n*äher* - ***nächst***

Nähe, *die* (***복수 없음!***) 가까운 곳, 근처 ; 「in der Nähe ***2격***」 ...의 근처에

Name, *der* (복수: die Name*n*) 이름

nass [형용사] 젖은, 축축한

Nation, *die* (복수: die Nation*en*) 국가, 민족

natürlich [형용사] ① 자연의, 자연적인 ; (부사적) 자연스럽게 ② 당연한 ; (부사적) 당연히

Nazi, *der* (복수: die Nazi*s*) 나치

Nebel, *der* (복수: die Nebel, 보통 ***단수*** 사용!) 안개

neben [***3·4격*** 전치사] ① (***3격***: 위치) ~옆에(서) ② (***3격***) ~이외에 (영. beside) ③ (***4격***: 방향) ~옆으로 (영. beside)

nebenbei [부사어] 곁들여서, 부수적으로

nee [부사어] nein의 구어체 표현

nehmen [타동사] ...을 취하다, (차량을) 타다 (영. take) ; ein Taxi nehmen 택시를 타다

* 3 기본형: **nehmen - nahm - genommen**

* 현재 시제, 단수 2, 3인칭 불규칙 변화: du nimm*st* ; er nimm*t*

nein [부사어] 아니, 아니오 (영. no)

nett [형용사] 좋은, 친절한 ; (부사적) 친절하게 ;

Das ist (sehr) nett von Ihnen! "(그렇게 해주시니) 당신 (정말) 친절하시군요!" (영. It ist very kind of you!)

neu [형용사] 새, 새로운 ; (부사적) 새롭게

Neumarkt, *der* (지명, 거리 명) 노이마르크트

neun [수사] 9, 아홉

neun*t*- [수사: ***서수***] 아홉째의

neunzehn [수사] 19

neunzig [수사] 90

nicht [부사어] (***부정문***을 만들어) ... 아니다, ... 않다 (영. not)

nichts [부정대명사] 아무 것도 ... 아니다, 무엇도 ... 않다 (영. nothing) ;
Das macht (gar) nichts! "괜찮아요!" ("죄송합니다!"라는 말에 대한 대응 표현) (영. That's quite alright!)

nie [부사어] (부정문을 강화하여) 결코 ... 아니다, 단연코 ... 않다 (영. never)

niemand [부정대명사] 아무도 ... 아니다, 누구도 ... 않다 (영. nobody, no one)

Niggemann [고유명사] (가족 이름, 성) 니게만

nimm ⇒ 동사 nehmen의 ***du***-명령문 형태

nimmst ⇒ 동사 nehmen의 현재 시제: 주어가 ***du***일 때

nimmt ⇒ 동사 nehmen의 현재 시제: 주어가 ***er***, ***sie***, ***es***일 때

Nina [고유명사] (여자 이름) 니나

noch [부사어] ① (시간적) 아직, 여전히 ② (아직 끝나지 않고) '더 ...' ; noch einmal 한 번 더

Nolting [고유명사] (가족 이름, 성) 놀팅

Nord (관사 없음!) 북쪽 (= der Norden)

Nordafrika [고유명사] (지명) 북아프리카

Norddeutschland [고유명사] (지명) 북독일

normal [형용사] 정상적인 ; (부사적) 정상적으로

Note, ***die*** (복수: die Note***n***) 점수

Nudel, ***die*** (복수: die Nudel***n***, 보통 ***복수*** 사용!) 국수, 면

null [수사] 0 (영. zero)

Nummer, ***die*** (복수: die Nummer***n***) 번호, 숫자

nun [부사어] 이제, 이제는 (영. now)

nur [부사어] 단지, 오로지 (영. only)

ob [종속접속사] ...인지 아닌지, ...인지 여부 (영. whether, if)

oben [부사어] 위에, 위에서 (영. up, upstairs)

Ober, *der* (복수: die Ober) (주점, 음식점의) 남자 종업원 (= Kellner) ;
"Herr Ober!" 주점, 음식점에서 남자 종업원을 부를 때 사용하는 말.

Obst, *das* (***복수 없음***!) 과일

obwohl [종속접속사] '비록 ...이지만', '비록 ...임에도 불구하고' (영. though, although)

oder [대등접속사] 혹은, 또는 (영. or)

offen [형용사] 열린, 열려있는 ; etw.[4] offen halten *무엇을* 열린 채 유지하다

öffnen [타동사] ...을 열다 (영. open)

* 3 기본형 규칙 변화: öffn***en*** - öffn***ete*** - ***ge***öffne***t***

oft [부사어] 자주, 빈번히

ohne [***4격*** 전치사] ~없이 (영. without)

okay (= o.k. 혹은 O.K.) [부사어] 오케이

Oktober, *der* (복수: die Oktober, 주로 ***단수*** 사용!) 10월 ; im Oktober 10월에

Öl, *das* (복수: die Öl***e***, 물질명사로서 보통 ***단수*** 사용!) 기름, 석유, 원유

Ölpreis, *der* (복수: die Ölpreis***e***) 유가, 석유 가격

Onkel, *der* (복수: die Onkel) 삼촌, 백부, 숙부, 고모부, 이모부

operieren [타동사] ...을 수술하다 ; 「sich[4] operieren lassen」 수술을 받다

* 3 기본형 규칙 변화: operier***en*** - operier***te*** - operier***t***
형태가 ***-ieren*** 이므로 pp형에서 ge- 탈락!

Opfer, *das* (복수: die Opfer) 희생, 희생자

Orange, *die* (복수: die Orange***n***) [o'raŋʒə] 오렌지

Orangensaft, *die* (복수: die Orangens**ä**ft***e***, 물질명사로서 보통 ***단수*** 사용!) 오렌지 주스

Ort, *der* (복수: die Ort***e***) 장소, 지점, 곳 (영. place)

Österreich [고유명사] (국가 명) 오스트리아

Ostsee, *die* (지명) 발트해, (독일의) 동해

paar [부정대명사] : 「ein paar + ***복수***명사」 '몇몇의 ...' (= 「einige + ***복수***명사」)

Päckchen, *das* (복수: die Päckchen) (축소명사) 작은 소포, 작은 짐

packen [타동사] (짐을) 꾸리다, 싸다

* 3 기본형 규칙 변화: pack***en*** - pack***te*** - ***ge***pack***t***

Paket, *das* (복수: die Paket***e***) 소포, 꾸러미

Papier, *das* (복수: die Papier***e***) ① 종이 (물질명사로서 보통 ***단수*** 사용!) ② 서류, 문서

Paris [고유명사] (도시 명) 파리

Park, *der* (복수: die Park***s***) 공원

parken [타동사/자동사] (...을) 주차하다

* 3 기본형 규칙 변화: park***en*** - park***te*** - ***ge***park***t***

Parken, *das* (보통 ***단수*** 사용!) 주차, 주차하기 ※동사 parken의 명사화!

Parkhaus, *das* (복수: die Parkh**ä**us***er***) 주차 건물, 주차 빌딩

Parlament, *das* (복수: die Parlament***e***) 의회, 국회

Party, *die* (복수: die Party***s***) 파티

Pass, *der* (복수: die P**ä**ss***e***) 여권

passen [자동사] 적합하다, 맞다 :

「etw.주어(= 의복) passt j-m.」 *무엇*이 *누구*의 몸에 맞다 ; 「etw.주어(= 의복) passt zu j-m.」 *무엇*이 *누구*에게 어울리다 ; Passt es dir, wenn ... "...하더라도 너에게 괜찮겠니?"

* 3 기본형 규칙 변화: pass***en*** - pass***te*** - ***ge***pass***t***

passieren [자동사] (일, 사건이) 발생하다, 일어나다

※***상태 변화*** 자동사 → 완료형 「***sein*** ... pp」

* 3 기본형 규칙 변화: passier***en*** - passier***te*** - passier***t***

형태가 ***-ieren*** 이므로 pp형에서 ge- 탈락!

Paul [고유명사] (남자 이름) 파울

Pause, *die* (복수: die Pause***n***) 휴식, 쉬는 시간 ; eine Pause machen 쉬는 시간을 갖다

Pension, *die* (복수: die Pension***en***) 여관, 펜션

Peter [고유명사] (남자 이름) 페터

Peters [고유명사] (가족 이름, 성) 페터스

Petra [고유명사] (여자 이름) 페트라

Pizza, *die* (복수: die Pizza***s*** 혹은 Pizz***en***) 피자

Plan, *der* (복수: die Pl**ä**n***e***) 계획

planen [타동사] ...을 계획하다

* 3 기본형 규칙 변화: plan***en*** - plan***te*** - ***ge***plan***t***

Platz, *der* (복수: die Pl**ä**tz***e***) 자리, 좌석 ; Platz nehmen 자리 잡고 앉다

plötzlich [형용사] 갑작스러운 ; (부사적) 갑자기

Polizei, *die* (복수: die Polizei***en***, 보통 ***단수*** 사용!) 경찰, 경찰서

Polizist, *der* (복수: die Polizist***en***) 경찰관, 남자 경찰관

※주어를 제외한 ***단수 2, 3, 4격***이 모두 복수형과 동일하게 Polizist***en*** 인 ***약변화*** 명사!

Post, *die* (복수: die Post***en***, 보통 ***단수*** 사용!) ① 우편 ② 우체국 (= das Postamt)

Postkarte, *die* (복수: die Postkarte***n***) 우편엽서

praktisch [형용사] 실용적인, 실질적인 ; (부사적) 실용적으로, 실질적으로

Präsident, *der* (복수: die Präsident***en***) 대통령, 의장

※주어를 제외한 ***단수 2, 3, 4격***이 모두 복수형과 동일하게 Präsident***en*** 인 ***약변화*** 명사!

Praxis, *die* (복수: die Prax***en***) (의사, 변호사 등의) 집무실, 개인 병원, 변호사 사무실

Preis *der* (복수: die Preis***e***) 가격

preiswert [형용사] (품질에 비해) 가격이 저렴한

Prinz, *der* (복수: die Prinz***en***) 왕자

※주어를 제외한 ***단수 2, 3, 4격***이 모두 복수형과 동일하게 Prinz***en*** 인 ***약변화*** 명사!

Prinzess*in*, *die* (복수: die Prinzessin***nen***) 공주, 왕자 비

Problem, *das* (복수: die Problem***e***) 문제 ; Kein Problem! “문제없어요!”

Professor, *der* (복수: die Professor***en***) 교수, 대학 교수

Professor*in*, *die* (복수: die Professorin***nen***) 여교수

Projekt, *das* (복수: die Projekt***e***) 프로젝트

promovieren [자동사] 박사학위를 취득하다

* 3 기본형 규칙 변화: promovier***en*** - promovier***te*** - promovier***t***
형태가 ***-ieren*** 이므로 pp형에서 ge- 탈락!

Prozent, *das* (복수: die Prozent***e***) 퍼센트 (%)

prüfen [타동사] ① ...을 시험해 보다 ② (지식 등을) 평가하다 ③ (기계의 성능을) 검사하다

* 3 기본형 규칙 변화: prüf***en*** - prüf***te*** - ***ge***prüf***t***

Prüfung, *die* (복수: die Prüfung***en***) 시험

Psychologie, *die* (***복수 없음!***) 심리학

Pulli, *der* (복수: die Pulli***s***) (구어체) 스웨터 (= Pullover)

Pullover, *der* (복수: die Pullover) 스웨터

Punkt, *der* (복수: die Punkt***e***) 점, 점수

pünktlich [형용사] (규정, 약속 등의) 시간을 정확히 지키는 ; (부사적) 정각에

Puppe, *die* (복수: die Puppe***n***) 인형

putzen ① [타동사] ...을 닦다 ② [***3격*** 재귀동사] : 「sich³ die Zähne putzen」 양치질하다

* 3 기본형 규칙 변화: putz***en*** - putz***te*** - ***ge***putz***t***

Quadrat, *das* (복수: die Quadrat***e***) 정사각형 (영. square)

Quadratmeter, *der* 혹은 *das* (복수: die Quadratmeter) 평방미터 (m^2)

Qualität, *die* (복수: die Qualität***en***) 질, 품질

Quartal, *das* (복수: die Quartal***e***) 4분의 1년, 4분기

R

Rad, *das* (복수: die Rä*der*) ① 바퀴 ② 자전거

Radio, *das* (복수: die Radio*s*) 라디오

Rat, *der* (복수: die Ratschlä*ge*, Rat 자체는 ***복수 없음***!) 충고, 조언 ;
「j-m. einen Rat geben」 누구에게 충고하다

Rate, *die* (복수: die Rate*n*) 비율

Rathaus, *das* (복수: die Rathä*user*) 시청

ratifizieren [타동사] ① (의회가) ...을 비준하다 ; ② (국가 원수가) ...을 승인하다
* 3 기본형 규칙 변화: ratifizier***en*** - ratifizier***te*** - ratifizier***t***
형태가 ***-ieren*** 이므로 pp형에서 ge- 탈락!

rauchen [타동사/자동사] (담배를) 피우다
* 3 기본형 규칙 변화: rauch***en*** - rauch***te*** - ***ge***rauch***t***

Rauchen, *das* (보통 ***단수*** 사용!) 흡연, 흡연하기 ※동사 rauchen의 명사화!

rauf [부사어] 위쪽으로, 위로 ※구어체로서 herauf('이리 위로') 혹은 hinauf('저리 위로') 대신 사용됨.

realisierbar [형용사] 실현될 수 있는

realisieren [타동사] ...을 실현하다
* 3 기본형 규칙 변화: realisier***en*** - realisier***te*** - realisier***t***
형태가 ***-ieren*** 이므로 pp형에서 ge- 탈락!

rechnen [타동사] ...을 계산하다 (영. count)
* 3 기본형 규칙 변화: rechn***en*** - rechn***ete*** - ***ge***rechn***et***

Rechnung, *die* (복수: die Rechnung***en***) ① 계산 ; ② 계산서, 청구서

recht [형용사] ① 오른쪽의 ② 옳은

rechts [부사어] 오른쪽에

rechtzeitig [형용사] 시간에 맞춘, 적시의, 제때의 ; (부사적) 적시에, 제 때에

reden [타동사/자동사] (...을) 말하다, 이야기하다
* 3 기본형 규칙 변화: red***en*** - red***ete*** - ***ge***red***et***

Regal, *das* (복수: die Regal***e***) 책장, 책꽂이, 선반

Regel, *die* (복수: die Regel***n***) 규칙, 규정

Regen, *der* (복수: die Regen, 보통 *단수* 사용!) 비 (영. rain) ; im Regen 빗속에서, 비를 맞으며

Regierung, *die* (복수: die Regierung***en***) 정부, 내각

Region, *die* (복수: die Region***en***) 지역, 구역

regnen [자동사] 비오다 ; Es regnet. "비오다." ※'날씨' 동사이므로 주어는 항상 비인칭 주어 es임.

* 3 기본형 규칙 변화: regn***en*** - regn***ete*** - ***ge***regn***et***

reich [형용사] 부유한

reichen [자동사] 충분하다

* 3 기본형 규칙 변화: reich***en*** - reich***te*** - ***ge***reich***t***

Reichtum, *der* (복수: die Reicht**ü**m***er***) 부, 재력, 풍요

reinigen [타동사] ...을 깨끗하게 하다, 청소하다

* 3 기본형 규칙 변화: reinig***en*** - reinig***te*** - ***ge***reinig***t***

Reis, *der* (복수: die Reis***e***, 물질명사로서 보통 *단수* 사용!) 벼, 쌀, 밥

Reise, *die* (복수: die Reise***n***) 여행 ; eine Reise machen 여행하다

Reisegruppe, *die* (복수: die Reisegruppe***n***) 여행 그룹

reisen [자동사] 여행하다

※*장소 이동* 자동사 → 완료형「***sein*** ... pp」

* 3 기본형 규칙 변화: reis***en*** - reis***te*** - ***ge***reis***t***

Religion, *die* (복수: die Religion***en***) 종교

Renate [고유명사] (여자 이름) 레나테

renovieren [타동사] (건물을) 보수하다, 수리하다, 리모델링하다

* 3 기본형 규칙 변화: renovier***en*** - renovier***te*** - renovier***t***

형태가 ***-ieren*** 이므로 pp형에서 ge- 탈락!

Reparatur, *die* (복수: die Reparatur***en***) 수선, 복구

reparieren [타동사] ...을 고치다, 수리하다, 수선하다

* 3 기본형 규칙 변화: reparier***en*** - reparier***te*** - reparier***t***

형태가 ***-ieren*** 이므로 pp형에서 ge- 탈락!

Republik, *die* (복수: die Republik***en***) 공화국

Restaurant, *das* (복수: die Restaurant***s***) 식당, 레스토랑

retten [타동사] ...을 구하다, 구원하다

* 3 기본형 규칙 변화: rett***en*** - rett***ete*** - ***ge***rett***et***

Rettung, *die* (복수: die Rettung***en***) 구조, 구원 ※동사 retten의 명사형!

Rettungswagen, *der* (복수: die Rettungswagen) 구급차

Rhein, *der* (지명) 라인 강

richtig [형용사] 올바른 ; (부사적) 올바르게 ;
das Richtige 올바른 것 ※형용사 richtig의 ***중성***명사화!

rief ⇒ 동사 rufen의 과거형

Ring, *der* (복수: die Ring***e***) 반지

Rita [고유명사] (여자 이름) 리타

Rock, *der* (복수: die R**ö**ck***e***) 치마, 스커트

Rogalla [고유명사] (가족 이름, 성) 로갈라

Roman, *der* (복수: die Roman***e***) 소설

Rose, *die* (복수: die Rose***n***) 장미

rot [형용사] 빨간, 붉은 색의

Rotwein, *der* (복수: die Rotwein***e***, 물질명사로서 보통 ***단수*** 사용!) 적포도주

rufen [타동사] ...을 부르다, 외치다 (영. call, shout)

* 3 기본형: **rufen - rief - gerufen**

Ruhe, *die* (복수: die Ruhe***n***, 보통 ***단수*** 사용!) 조용함, 휴식, 안정 ; in Ruhe 조용히, 가만히

ruhig ① [형용사] 조용한, 안정된 ② [부사어] 주저하지 말고 (그냥)

ruinieren [타동사] ...을 파괴하다, 파멸시키다

* 3 기본형 규칙 변화: ruinier***en*** - ruinier***te*** - ruinier***t***
형태가 ***-ieren*** 이므로 pp형에서 ge- 탈락!

rund ① [부사어] 약, 대략 ② [형용사] 둥근

Russland [고유명사] (국가 명) 러시아

S

Sabine [고유명사] (여자 이름) 자비네

Sache, *die* (복수: die Sache***n***) 물건, 것 (영. thing)

Saft, *der* (복수: die Säft***e***, 물질명사로서 보통 ***단수*** 사용!) 주스

sagen [타동사] ...을 말하다 (영. say) ; genauer gesagt 더 정확히 말하면

* 3 기본형 규칙 변화: sag***en*** - sag***te*** - ***ge***sag***t***

sah ⇒ 동사 sehen의 과거형

sah ... *aus* ⇒ 분리동사 *aus*sehen의 과거형

Salat, *der* (복수: die Salat***e***) 샐러드

Samstag, *der* (복수: die Samstag***e***) 토요일 ; am Samstag 토요일에

samstags [부사어] 토요일에, 토요일마다

Sandra [고유명사] (여자 이름) 산드라

Sascha [고유명사] (남자 이름) 자샤

saß ⇒ 동사 sitzen의 과거형

satt [형용사] 배부른, 만족스럽게 식사한

Satz, *der* (복수: die Sätz***e***) 문장 (영. sentence)

sauber [형용사] 깨끗한 ; (부사적) 깨끗하게

sauer [형용사] ① 신, 신 맛 나는 ② 화가 난, 짜증 난

schade [형용사] 유감인, 애석한, 아쉬운

schaffen [타동사]

① (어려운 일을) 해내다, (교통수단을) 제 때에 잡아타다 ② ...을 창조하다

* 3 기본형: schaff***en*** '해내다' - schaff***te*** - ***ge***schaff***t*** ※***규칙*** 변화

schaffen '창조하다' - **schuf** - **geschaffen**

Schau, *die* (복수: die Schau***en***) 공연, 전시 (영. show, exhibition)

schauen [타동사] ...을 보다, 바라보다 (= sehen)

* 3 기본형 규칙 변화: schau***en*** - schau***te*** - ***ge***schau***t***

Schauspiel, *das* (복수: die Schauspiel***e***) 연극, 드라마 (= Theaterstück)

Schauspieler*in*, *die* (복수: die Schauspielerin***nen***) 여배우

scheiden [타동사] ...을 가르다, 구분하다 ; 「sich[4] scheiden lassen」 이혼하다

* 3 기본형: **scheiden - schied - geschieden**

Schein, *der* (복수: die Schein***e***) (공식적인) 증명서, 인증서 (영. certificate)

scheinen [자동사] ① 빛나다, 반짝이다 (영. shine) ② ...인 듯하다 (영. seem, appear)

* 3 기본형: **scheinen - schien - geschienen**

schenken [타동사] ...을 선물하다 ; 「j-m. etw.[4] schenken」 *누구*에게 *무엇*을 선물하다

* 3 기본형 규칙 변화: schenk***en*** - schenk***te*** - ***ge***schenk***t***

schick [형용사] 멋진, 세련된 ; (부사적) 멋지게, 세련되게

schicken [타동사] ...을 보내다 (영. send) ; 「j-m. etw.[4] schicken」 *누구*에게 *무엇*을 보내다

* 3 기본형 규칙 변화: schick***en*** - schick***te*** - ***ge***schick***t***

Schild, *das* (복수: die Schild***er***) 간판, 표시판

Schirm, *der* (복수: die Schirm***e***) 우산

Schlaf, *der* (***복수 없음!***) 잠 (영. sleep)

schlafen [자동사] 잠자다 (영. sleep)

* 3 기본형: **schlafen - schlief - geschlafen**
* 현재 시제, 단수 2, 3인칭 불규칙 변화: du schl**ä**f*st* ; er schl**ä**f*t*

schläfst ⇒ 동사 schlafen의 현재 시제: 주어가 ***du***일 때

schläft ⇒ 동사 schlafen의 현재 시제: 주어가 ***er***, ***sie***, ***es***일 때

Schlafzimmer, *das* (복수: die Schlafzimmer) 침실

schlagen [타동사] ...을 치다, 때리다 (영. hit, beat, strike)

* 3 기본형: **schlagen - schlug - geschlagen**
* 현재 시제, 단수 2, 3인칭 불규칙 변화: du schl**ä**g*st* ; er schl**ä**g*t*

schlank [형용사] 날씬한

schlecht [형용사] 나쁜 ; (부사적) 나쁘게

schlief ⇒ 동사 schlafen의 과거형

schlief ... *ein* ⇒ 분리동사 *ein*schlafen의 과거형

schließen [타동사] ① ...을 잠그다, 닫다 ② ...을 끝내다 ③ ...을 휴업하다 (영. close)
 * 3 기본형: **schließen - schloss - geschlossen**

schlug ⇒ 동사 schlagen의 과거형

Schlüssel, *der* (복수: die Schlüssel) 열쇠

schmecken [자동사] (맛이) ...하다 (영. taste) ;
「etw.[주어](= 음식) schmeckt j-m. gut」 *무엇*이(= 음식) *누구*에게 맛있다
 * 3 기본형 규칙 변화: schmeck***en*** - schmeck***te*** - ***ge***schmeck***t***

Schmerz, *die* (복수: die Schmerz***en***, 보통 ***복수*** 사용!) 아픔, 통증

Schmidt [고유명사] (가족 이름, 성) 슈미트

Schnee, *der* (***복수 없음***!) 눈 (영. snow)

Schneider [고유명사] (가족 이름, 성) 슈나이더

schneien [자동사] 눈 오다 ※'날씨' 동사이므로 주어는 항상 비인칭 주어 es임. ;
Es schneit. "눈이 내린다."
 * 3 기본형 규칙 변화: schnei***en*** - schnei***te*** - ***ge***schnei***t***

schnell [형용사] 빠른 ; (부사적) 빨리

Schnitzler [고유명사] (가족 이름, 성) 슈니츨러

Schokolade, *die* (복수: die Schokolade***n***, 물질명사로서 보통 ***단수*** 사용!) 초콜릿

Scholz [고유명사] (가족 이름, 성) 숄츠

schon [부사어] ① 이미, 벌써 ② 미래의 예정된 일, 혹은 추측된 내용을 말할 때 대화 상대자를 안심시키는 표현임.

schön [형용사] ① 예쁜, 아름다운 ② 좋은

Schön [고유명사] (가족 이름, 성) 쇤

Schrank, *der* (복수: die Schränk***e***) 장, 옷장, 캐비닛

schrecklich [형용사] 끔찍한 ; (부사적) 끔찍하게, 대단히

schreiben (영. write)
① [타동사] ...을 쓰다
② [타동사] : 「j-m. etw.[4] schreiben」 *누구*에게 *무엇*을 써 보내다
③ [자동사] 편지 보내다
 * 3 기본형: **schreiben - schrieb - geschrieben**

Schreiber, *der* (복수: die Schreiber) (구어체) (연필, 볼펜 등의) 필기구

Schreibtisch, *der* (복수: die Schreibtisch***e***) 책상

schrieb ⇒ 동사 schreiben의 과거형

Schrift, *die* (복수: die Schrift***en***) ① (인쇄된) 텍스트, 글 ② 문자, 문자 체계

Schriftsteller, *der* (복수: die Schriftsteller) 작가

Schuh, *der* (복수: die Schuh***e***, 보통 ***복수*** 사용!) 신발, 구두

Schule, *die* (복수: die Schule***n***) 학교

Schüler, *der* (복수: die Schüler) (초 · 중 · 고등학교) 학생, 남학생

Schüler*in*, *die* (복수: die Schülerin***nen***) (초 · 중 · 고등학교) 여학생

Schulz [고유명사] (가족 이름, 성) 슐츠

Schulzeit, *die* (복수: die Schulzeit***en***, 보통 ***단수*** 사용!) (초 · 중 · 고등학교) 학창시절

schwach [형용사] 약한, 허약한

* 3 비교형: schwach - schwä*ch**er*** - schwäch*st*

schwamm ⇒ 동사 schwimmen의 과거형

schwarz [형용사] 검정색의, 어두운

schwarzhaarig [형용사] 머리색이 검은

Schweiz, *die* (국가 명, ***복수 없음***!) 스위스 ;

aus der Schweiz 스위스 출신인 ; in die Schweiz 스위스로

Schweizer, *der* (복수: die Schweizer) 스위스인, 스위스 남자

schwer [형용사] ① 무거운 ② 어려운

Schwester, *die* (복수: die Schwester***n***) 여자 형제 (누이, 자매)

Schwimmbad, *das* (복수: die Schwimmbäd***er***) (야외) 수영장

schwimmen [자동사]

① 수영하다 ※완료형 「***haben*** ... pp」;

② (수영해서) 가다 ※***장소 이동*** 자동사 → 완료형 「***sein*** ... pp」

* 3 기본형: **schwimmen - schwamm - geschwommen**

Schwimmen, *das* (보통 ***단수*** 사용!) 수영, 수영하기 ※동사 schwimmen의 명사화!

sechs [수사] 6, 여섯

sechs*t*- [수사: ***서수***] 여섯째의, 제6의

sechzehn [수사] 16

sechzig [수사] 60

See, *der* (복수: die See***n***) 호수

See, *die* (복수: die See***n***) 바다

Seefahrt, *die* (복수: die Seefahrt***en***, 보통 ***단수*** 사용!) 바다 항해

sehen [타동사] ...을 보다 (영. see) ; 「sehen + 4격 ... 동사 원형」 *4격*이 ...하는 것을 보다

* 3 기본형: **sehen - sah - gesehen**
* 현재 시제, 단수 2, 3인칭 불규칙 변화: du sieh*st* ; er sieh*t*

sehr [부사어] 매우, 아주

sei ⇒ ① 동사 sein의 ***du***-명령문 형태 ; ② 동사 sein의 접속법 I 형태

seid ⇒ 동사 sein의 현재 시제: 주어가 ***ihr***('너희는')일 때

seien ⇒ 동사 sein의 ***Sie***-명령문 형태

sein

① [자동사] (형용사 혹은 명사 보어와 함께) '...이다'

② [자동사] 있다, 존재하다

③ [조동사] 완료형 「*sein* ... pp」에 사용됨.

※완료형은 「***sein*** ... pp」

* 3 기본형: **sein - war - gewesen**
* 현재 시제 불규칙 변화: ich **bin** ; du **bist** ; er (sie, es) **ist** ; wir **sind** ; ihr **seid** ; sie, Sie **sind**

sein- [소유대명사] ① '그의 ...' (영. his) ② '그것의 ...' (영. its)

seit [***3격*** 전치사] (시간적) ~이후, ~이래 (영. since) ; seit gestern 어제부터

Sekretär, *der* (복수: die Sekretär***e***) 비서

Sekretär*in*, *die* (복수: die Sekretärin***nen***) 여비서

Sekunde, *die* (복수: die Sekunde***n***) (시간 단위) 초

selbst 스스로, 혼자 힘으로

Sellerberg [고유명사] (가족 이름, 성) 젤러베르크

selten [형용사] ① 좀체 ... 않는 (영. rarely) ② 드문, 희귀한

Semester, *das* (복수: die Semester) 학기

senken [타동사] ...을 낮추다, 인하하다 (영. sink, drop)

* 3 기본형 규칙 변화: senk***en*** - senk***te*** - ***ge***senk***t***

Seoul [고유명사] (도시 명) 서울

Sessel *der* (복수: die Sessel) 안락의자

setzen ① [타동사] ...을 앉히다, ...을 놓다 ② [*4격* 재귀동사] : 「sich^4 setzen」 앉다

* 3 기본형 규칙 변화: setz***en*** - setz***te*** - ***ge***setz***t***

sich [재귀대명사] '자기 자신', '... 자신'

※재귀대명사의 대표 형태로서, 주어가 ***1***, ***2인칭***이 ***아닐*** 경우, 즉 주어가 ***ich***, ***du*** ; ***wir***, ***ihr***가 ***아닐*** 경우, ***3격*** 및 ***4격*** 재귀대명사 모두 ***sich***임.

sicher [형용사]

① 확실한, 틀림없는 ; (부사적) 확실히, 틀림없이

② 「j-d.^{주어} ist sicher, dass ... 」 누구는 ...임을 확신하다

③ 안전한

sie [인칭대명사] ① 그녀는 (***1격*** 형) (영. she) ② 그녀를 (***4격*** 형) (영. her)

sie [인칭대명사] ① 그들은, 그것들은 (***1격*** 형) (영. they) ② 그들을, 그것들을 (***4격*** 형) (영. them)

Sie [인칭대명사] ① 당신은, 당신들은 (***1격*** 형) (영. you) ② 당신을, 당신들을 (***4격*** 형) (영. you)

sieben [수사] 7, 일곱

sieb*t*- 혹은 **sieben*t*-** [수사: ***서수***] 일곱(번)째의, 제7의 ; im siebten Stock 8층에(서)

siebzehn [수사] 17

siebzehn*t*- [수사: ***서수***] 17번째, 제17의

siebzig [수사] 70

sieh ⇒ 동사 sehen의 ***du***-명령문 형태

siehst ⇒ 동사 sehen의 현재 시제: 주어가 ***du***일 때

sieht ⇒ 동사 sehen의 현재 시제: 주어가 ***er***, ***sie***, ***es***일 때

sieht ... *aus* ⇒ 분리동사 *aus*sehen의 현재 시제: 주어가 ***er***, ***sie***, ***es***일 때

sind ⇒ 동사 sein의 현재 시제: 주어가 ***wir*** 혹은 ***sie***('그들은'), ***Sie***일 때

singen [타동사/자동사] (...을) 노래하다

* 3 기본형: **singen - sang - gesungen**

sitzen [자동사] 앉아 있다

* 3 기본형: **sitzen - saß - gesessen**

Sitzung, *die* (복수: die Sitzung*en*) 회의

so [부사어]

① 그렇게 : 「so + 형용사(부사)」 그렇게 아주 ...한, 그렇게 아주 ...하게 (영. so)

② 「A so 원급 wie B」 'A는 B처럼 ...하다' (동등 비교!)

Sofa, *das* (복수: die Sofa*s*) 소파

sofort [부사어] 곧, 즉시

Sohn, *der* (복수: die S**ö**hn*e*) 아들

soll ⇒ 화법조동사 sollen의 현재 시제: 주어가 ***ich*** 혹은 ***er***, ***sie***, ***es***일 때

sollen [화법조동사]

① (타인의 의지에 의해) ...해야 한다, ...하기로 되어 있다 (영. should)

② (소문) ...라고들 한다 (영. be said to)

* 3 기본형: **sollen - sollte - gesollt, sollen**

* 현재 시제, 주어가 단수일 때 불규칙 변화: ich **soll** ; du **soll*st*** ; er (sie, es) **soll** ; wir soll*en* ; ihr soll*t* ; sie, Sie soll*en*

sollst ⇒ 화법조동사 sollen의 현재 시제: 주어가 ***du***일 때

sollte ⇒ ① 화법조동사 sollen의 과거형 ② 화법조동사 sollen의 접속법 II 형태

Sommer, *der* (복수: die Sommer, 보통 ***단수*** 사용!) 여름 ; im Sommer 여름에

sondern [대등접속사]

① 「nicht A, sondern B」 A가 아니라 B이다

② 「nicht nur A, sondern auch B」 = 「sowohl A, als auch B」 A뿐만 아니라 B 역시 ... 이다

Sonnabend, *der* (복수: die Sonnabend*e*) 토요일 (= Samstag) ; am Sonnabend 토요일에

Sonne, *die* (복수: die Sonne*n*, 보통 ***단수*** 사용!) 해, 태양

Sonnenbrille, *die* (복수: die Sonnenbrille*n*) 선글라스

Sonntag, *der* (복수: die Sonntag*e*) 일요일 ; am Sonntag 일요일에

sonst [부사어] ① 다른 때에는, 그 밖의 경우에는 ② 그렇게 하지 않는다면 (영. otherwise)

Sorge, *die* (복수: die Sorge*n*) 근심, 걱정 ;

(keine) Sorgen um etw.[4] machen *무엇*에 대하여 걱정하다 (걱정하지 않다)

sorgen [자동사] : 「für etw.[4] (j-n.) sorgen」 *무엇을(누구를)* 돌보다, 보살피다

* 3 기본형 규칙 변화: sorg***en*** - sorg***te*** - ***ge***sorg***t***

Soziologie, *die* (***복수 없음!***) 사회학

Spanien [고유명사] (국가 명) 스페인

Spanisch [고유명사] (언어 명) 스페인어

spanisch [형용사] 스페인의, 스페인 사람의, 스페인어의 ; (부사적) 스페인 식으로

Spanischkurs, *der* (복수: die Spanischkurs***e***) 스페인어 강좌

spannen [타동사] :...을 팽팽하게 만들다, 긴장시키다

* 3 기본형 규칙 변화: spann***en*** - spann***te*** - ***ge***spann***t***

spannend [형용사] 흥미진진한 ※동사 spannen의 현재분사!

sparen [타동사/자동사] (...을) 절약하다, 저축하다

* 3 기본형 규칙 변화: spar***en*** - spar***te*** - ***ge***spar***t***

sparsam [형용사] 검소한, 절약하는 ; (부사적) 검소하게

Spaß, *der* (복수: die Sp***ä***ß***e***) 재미, 즐거움 ;
「etw.[주어] macht j-m. (viel) Spaß」 *무엇*이 *누구*에게 (매우) 재미있다

spät [형용사] 늦은 ; (부사적) 늦게

später [부사어] 나중에, 후에 ※형용사 spät의 비교급 형태로서 독립적인 부사어로 굳어짐!

spazieren [자동사] 산책하다

※***장소 이동*** 자동사 → 완료형 「***sein*** ... pp」

* 3 기본형 규칙 변화: spazier***en*** - spazier***te*** - spazier***t***
형태가 ***-ieren*** 이므로 pp형에서 ge- 탈락!

spazieren gehen (gehen ... *spazieren*) [자동사] 산책하다

※***장소 이동*** 자동사 → 완료형 「***sein*** ... pp」

* 3 기본형: *spazieren* **gehen** - *spazieren* **ging** - *spazieren* **gegangen**

Spaziergang, *der* (복수: die Spazierg***ä***ng***e***) 산책 ; einen Spaziergang machen 산책하다

Speise, *die* (복수: die Speise***n***) 음식, 개별 음식

Speisekarte, *die* (복수: die Speisekarte***n***) 차림표, 식단

Spezialist, *der* (복수: die Spezialist***en***) 전문가

※주어를 제외한 ***단수 2, 3, 4격***이 모두 복수형과 동일하게 Spezialist***en*** 인 ***약변화*** 명사!

Spiegel, *der* (복수: die Spiegel) 거울

Spiel, *das* (복수: die Spiel***e***) 놀이, 게임, 경기

spielen [타동사] ① (스포츠 종목을) 하다 ② (...을) 놀다 ③ (악기를) 연주하다 (영. play)

* 3 기본형 규칙 변화: spiel***en*** - spiel***te*** - ***ge***spiel***t***

Spielplatz, *der* (복수: die Spielpl**ä**tz***e***) 놀이터

Sport, *der* (복수: die Sport***e***, 보통 ***단수*** 사용!) 스포츠

Sportlehrer, *der* (복수: die Sportlehrer) 체육 교사, 남자 체육 교사

Sprache, *die* (복수: die Sprache***n***) 말, 언어

Sprachkurs, *der* (복수: die Sprachkurs***e***) 언어 강좌, 어학 코스 ;

einen Sprachkurs machen 어학 코스를 다니다

sprechen [타동사] ...을 말하다 (영. speak) ;

「mit j-m. sprechen」 누구와 말하다 ; 「j-n. sprechen」 누구와 이야기하다

* 3 기본형: **sprechen - sprach - gesprochen**

* 현재 시제, 단수 2, 3인칭 불규칙 변화: du spr**i**ch*st* ; er spr**i**ch*t*

sprichst ⇒ 동사 sprechen의 현재 시제: 주어가 ***du***일 때

spricht ⇒ 동사 sprechen의 현재 시제: 주어가 ***er***, ***sie***, ***es***일 때

Stadt, *die* (복수: die St**ä**dt***e***) ① 도시, 시 ② 시내 ; in die Stadt gehen (fahren) 시내로 가다 (차 타고 가다)

Stadtfest, *das* (복수: die Stadtfest***e***) 도시의 축제

Stadtpark, *der* (복수: die Stadtpark***s***) 시립 공원

Stadtverwaltung, *die* (복수: die Stadtverwaltung***en***) 시 행정부

Stand, *der* (복수: die St**ä**nd***e***) 처해 있는 상황, 처한 상태 ※동사 stehen의 명사형!

stand ⇒ 동사 stehen의 과거형

starb ⇒ 동사 sterben의 과거형

stark [형용사] 강한, 강렬한, 심한 ; (부사적) 강하게

* 3 비교형: stark - st**ä**rk***er*** - st**ä**rk***st***

Station, *die* (복수: die Station***en***) (지하철 등의) 역

stattfinden (분리동사: finden ... *statt*) [자동사] (행사 등이) 열리다. 개최되다

* 3 기본형: *statt***finden** - *statt***fand (fand** ... *statt*) - *statt***gefunden**

stecken ① [타동사] ...을 꽂다 ② [자동사] 꽂혀 있다

* 3 기본형 규칙 변화: steck***en*** - steck***te*** - ***ge***steck***t***

Stefan [고유명사] (남자 이름) 슈테판

stehen [자동사] 서 있다

* 3 기본형: **stehen - stand - gestanden**

steigen [자동사] 올라가다, 오르다

※***장소 이동*** 자동사 → 완료형「***sein*** ... pp」

* 3 기본형: **steigen - stieg - gestiegen**

Stein, *der* (복수: die Stein***e***) 돌

Stein [고유명사] (가족 이름, 성) 슈타인

Stelle, *die* (복수: die Stelle***n***) ① 일자리, 직위 ② 위치, 자리

stellen [타동사] ...을 세워 놓다, ...을 놓다 ;

den Tisch an die Wand stellen 테이블을 벽에 붙여 놓다 ;

「j-m. eine Frage stellen」 누구에게 질문하다

* 3 기본형 규칙 변화: stell***en*** - stell***te*** - ***ge***stell***t***

Stefan [고유명사] (남자 이름) 슈테판

sterben [자동사] 죽다

※***상태 변화*** 자동사 → 완료형「***sein*** ... pp」

* 3 기본형: **sterben - starb - gestorben**

* 현재 시제, 단수 2, 3인칭 불규칙 변화: du stirb*st* ; er stirb*t*

Steuer, *die* (복수: die Steuer***n***) 조세, 세금

stieg ⇒ 동사 steigen의 과거형

Stift, *der* (복수: die Stift***e***) 필기구

stimmen [자동사] 맞다, 일치하다 ; Das stimmt! "(그 말) 맞아요!"

* 3 기본형 규칙 변화: stimm***en*** - stimm***te*** - ***ge***stimm***t***

Stock, *der* (복수: die Stöck***e***) 층 ; im ersten Stock 2층에서

stören [타동사] ...을 방해하다

* 3 기본형 규칙 변화: stör***en*** - stör***te*** - ***ge***stör***t***

Störung, *die* (복수: die Störung***en***) 방해, 장애

strahlen [자동사] (빛, 광선 등이) 방사하다, 발산하다

* 3 기본형 규칙 변화: strahl*en* - strahl*te* - *ge*strahl*t*

Strand, *der* (복수: die Stränd*e*) 바닷가, 해변

Straße, *die* (복수: die Straße*n*) 거리

streiten

① [자동사] : 「mit j-m. über etw.[4] streiten」 *누구*와 *무엇*에 관해 다투다, 싸우다

② [*4격* 재귀동사] : 「sich[4] mit j-m. über etw.[4] streiten」 *누구*와 *무엇*에 관해 다투다, 싸우다 ; 「j-d.[주어] (= *복수*) streiten sich[4]」 *누구*들은 서로 싸우다 : Sie streiten sich. "그들은 서로 말다툼을 한다."

* 3 기본형: **streiten - stritt - gestritten**

streng [형용사] 엄격한 ; (부사적) 엄격하게

stritt ⇒ 동사 streiten의 과거형

Struktur, *die* (복수: die Struktur*en*) 구조

Stück, *das* (복수: die Stück*e*) ① 조각 (영. piece) ② 작품

Student, *der* (복수: die Student*en*) 대학생, 남자 대학생

※주어를 제외한 *단수 2, 3, 4격*이 모두 복수형과 동일하게 Student*en* 인 *약변화* 명사!

Studenten(wohn)heim, *das* (복수: die Studenten(wohn)heim*e*) 대학생 기숙사

Student*in*, *die* (복수: die Studentin*nen*) 여자 대학생

Studienzeit, *die* (복수: die Studienzeit*en*) 대학시절

studieren [타동사/자동사] (대학에서 전공으로) ...을 공부하다, 대학을 다니다

* 3 기본형 규칙 변화: studier*en* - studier*te* - studier*t*

형태가 ***-ieren*** 이므로 pp형에서 ge- 탈락!

Studium, *das* (복수: die Studi*en*) 대학의 전공 공부, 연구

Stuhl, *der* (복수: die Stühl*e*) 의자

Stunde, *die* (복수: die Stunde*n*) (시간 단위로서) 시간 (영. hour)

Stundenkilometer, *der* (복수: die Stundenkilometer) 시속 ...킬로미터 ("km/h")

suchen

① [타동사] ...을 구하다, 찾다

② [*3격* 재귀동사] : 「sich[3] etw.[4] suchen」 (자신을 위해) *무엇*을 찾다, 구하다

* 3 기본형 규칙 변화: such*en* - such*te* - *ge*such*t*

Süd (관사 없음!) 남쪽 (= der Süden)

Süddeutschland [고유명사] (지명) 남독일

Südkorea [고유명사] (지명) 남한 (영. South Korea)

Supermarkt, *der* (복수: die Supermärkt*e*) 슈퍼마켓

Suppe, *die* (복수: die Suppe*n*) 수프

Susanne [고유명사] (여자 이름) 수잔네

Susi [고유명사] (여자 이름) 수지

süß [형용사] ① 단, 달콤한 ② 귀여운

Süßigkeit, *die* (복수: die Süßigkeit*en*, 보통 ***복수*** 사용!) 단 과자류, 사탕

sympathisch [형용사] 호감이 가는, 마음에 드는

Tablette, *die* (복수: die Tablette*n*) 알약

Tag, *der* (복수: die Tag*e*)

① 날, 하루

② 낮 (영. day) ; den ganzen Tag 하루 종일 ; Guten Tag! “안녕하세요!”

Tante, *die* (복수: die Tante*n*) 숙모, 고모, 이모

Tanz, *der* (복수: die Tänz*e*) 댄스, 춤

tanzen [자동사] 춤추다

* 3 기본형 규칙 변화: tanz***en*** - tanz***te*** - ***ge***tanz***t***

Tanzkurs, *der* (복수: die Tanzkurs*e*) 댄스 강습

Tasche, *die* (복수: die Tasche*n*) ① 가방, 핸드백 ② 주머니

Taschengeld, *das* (복수: die Taschengeld*er*, 보통 ***단수*** 사용!) 용돈, 작은 돈

Tasse, *die* (복수: die Tasse*n*) (차, 커피 등의) 찻잔 ;

eine Tasse Kaffee (Tee) 커피 (차) 한 잔

tausend [수사] 1000, 천

Taxi, *das* (복수: die Taxi***s***) 택시

Techniker, *der* (복수: die Techniker) 기술자, 공학자

Tee, *der* (복수: die Tee***s***) 차 (영. tea)

Teil, *der* (복수: die Teil***e***) 부분, 일부분

teilnehmen (분리동사: nehmen ... *teil*) [타동사] : 「an etw.[3] *teil*nehmen」 무엇에 참가하다

* 3 기본형: *teil***nehmen** - *teil***nahm** (**nahm** ... *teil*) - *teil***genommen**

* 현재 시제, 단수 2, 3인칭 불규칙 변화: du nimm*st* ... *teil* ; er nimm*t* ... *teil*

Telefon, *das* (복수: die Telefon***e***) 전화

telefonieren 전화 통화하다 ; 「mit j-m. telefonieren」 누구와 전화 통화하다

* 3 기본형 규칙 변화: telefonier***en*** - telefonier***te*** - telefonier***t***
형태가 ***-ieren*** 이므로 pp형에서 ge- 탈락!

Telefonnummer, *die* (복수: die Telefonnummer***n***) 전화번호

Tennis, *das* (***복수 없음***! 보통 관사 없이 사용!) 테니스

Teppich, *der* (복수: die Teppich***e***) 카펫, 양탄자

Terrasse, *die* (복수: die Terrasse***n***) 테라스

Termin, *der* (복수: die Termin***e***) ① (면담, 방문 등의) 약속 ② 기한, 일정

Ternes [고유명사] (가족 이름, 성) 테르네스

Test, *der* (복수: die Test***s*** 혹은 Test***e***) 시험, 테스트

teuer (**teur-**) [형용사] 비싼 ; ein **teur***es* Auto 비싼 자동차 ※어미변화 할 경우 teur- 임!

* 3 비교형: teuer - teur***er*** - teuer***st*** ※비교급 teu*e*rer 아님!

teur- ⇒ 형용사 teuer 가 어미변화 할 때의 형태!

teurer ⇒ 형용사 teuer 의 비교급 형태!

Text, *der* (복수: die Text***e***) 텍스트

Theater, *das* (복수: die Theater) (연극 공연) 극장

Theaterstück, *das* (복수: die Theaterstück***e***) 연극, 희곡 작품

Thema, *das* (복수: die Them***en***) 주제

Theorie, *die* (복수: die Theorie**n**) 이론

Thomas [고유명사] (남자 이름) 토마스

Tim [고유명사] (남자 이름) 팀

Tisch, *der* (복수: die Tisch**e**) 탁자, 테이블

Tobias [고유명사] (남자 이름) 토비아스

Tochter, *die* (복수: die Töchter) 딸

Tod, *der* (복수: die Tod**e**) 죽음, 사망

toll [형용사] (구어체) 정말 좋은, 대단한

Tomate, *die* (복수: die Tomate**n**) 토마토

Topmodell, *das* (복수: die Topmodell**e**) 일류 모델

tot [형용사] 죽은

traf ⇒ 동사 treffen의 과거형

tragen [타동사] ① ...을 나르다, 운반하다 ② (의복, 장신구 등을) 착용하다

* 3 기본형: **tragen - trug - getragen**
* 현재 시제, 단수 2, 3인칭 불규칙 변화: du träg*st* ; er träg*t*

trank ⇒ 동사 trinken의 과거형

traurig [형용사] 슬픈

treffen ① [타동사] ...을 만나다 ② [*4격* 재귀동사] : 「sich⁴ mit j-m. treffen」 누구를 만나다

* 3 기본형: **treffen - traf - getroffen**
* 현재 시제, 단수 2, 3인칭 불규칙 변화: du triff*st* ; er triff*t*

Treffen, *das* (복수: die Treffen) 집회, 회담, 모임

treiben [타동사] : ① [타동사] ...을 몰고 가다 ② ...을 행하다 ; Sport treiben 운동하다

* 3 기본형: **treiben - trieb - getrieben**

Treppe, *die* (복수: die Treppe**n**) 계단

treten [자동사] 걸어가다

※*장소 이동* 자동사 → 완료형 「***sein*** ... pp」

* 3 기본형: **treten - trat - getreten**
* 현재 시제, 단수 2, 3인칭 불규칙 변화: du tritt*st* ; er tritt

treu [형용사] 신의가 있는, 충실한 ; (부사적) 충실하게

Trier [고유명사] (도시 명) 트리어

trinkbar [형용사] (음료수 등이) 마실 수 있는, 음료가 가능한

trinken [타동사/자동사] ...을 마시다, 술 마시다
  * 3 기본형: **trinken - trank - getrunken**

Trommel, *die* (복수: die Trommel*n*) 북

trotz [*2격* 전치사] ~에도 불구하고 (영. in spite of)

trotzdem [부사어] 그럼에도 불구하고

trug ⇒ 동사 tragen의 과거형

tüchtig [형용사] 유능한, 숙련된 ; (부사적) 유능하게

tun [타동사] ...을 행하다 (영. do) ; Tut mir Leid! “유감입니다.”
  * 3 기본형: **tun - tat - getan**

Tür, *die* (복수: die Tür*en*) 문, 대문

Turm, *der* (복수: die T**ü**rm*e*) 탑, 타워

Typ, *der* (복수: die Typ*en*) 유형

U-Bahn, *die* (복수: die U-Bahn*en*) 지하철

U-Bahnstation, *die* (복수: U-Bahnstation*en*) 지하철 역

über [*3·4격* 전치사] ① (*3격*: 위치) ~위에 ② (*4격*: 방향) ~위로, ~너머로 (영. above, over) ③ (*4격*) ~에 관하여, ~에 대하여 (영. about)

über [부사어] ...이상 (영. over ; more than ...)

überall [부사어] 도처에, 온통 (영. everywhere)

überhaupt [부사어] (부정어 nicht, kein- 등과 결합하여 부정문을 강조하여) 「überhaupt kein- ...」, 「überhaupt nicht ...」 전혀 ... 아니다 (영. not at all)

überlegen [*3격* 재귀동사] : 「sich[3] etw.[4] überlegen」 *무엇을* 숙고하다

* 3 기본형 규칙 변화: *über*leg***en*** - *über*leg***te*** - *über*leg***t***
형태가 ***über-*** 이므로 pp형에서 ge- 탈락!

übernachten [자동사] 밤을 지내다, 숙박하다 (영. stay the night at ...)

* 3 기본형 규칙 변화: *über*nacht***en*** - *über*nacht***ete*** - *über*nacht***et***
형태가 ***über-*** 이므로 pp형에서 ge- 탈락!

übernahm ⇒ 동사 übernehmen의 과거형

übernehmen [타동사] ...을 넘겨받다, 떠맡다

* 3 기본형: *über***nehmen** - *über***nahm** - *über***nommen**
형태가 ***über-*** 이므로 pp형에서 ge- 탈락!
* 현재 시제, 단수 2, 3인칭 불규칙 변화: du übernimm*st* ; er übernimm*t*

übernommen ⇒ 동사 übernehmen의 과거분사 (= pp형)

übersetzbar [형용사] 번역될 수 있는

übersetzen [타동사] ...을 번역하다

* 3 기본형 규칙 변화: *über*setz***en*** - *über*setz***te*** - *über*setz***t***
형태가 ***über-*** 이므로 pp형에서 ge- 탈락!

Übersetzung, *die* (복수: die Übersetzung***en***) 번역

Übung, *die* (복수: die Übung***en***) 연습, 연습문제

Udo [고유명사] (남자 이름) 우도

Ufer, *das* (복수: die Ufer) 물가 (강가, 바닷가, 호숫가)

Uhr, *die* (복수: die Uhr***en***)
① (시각) '...시' (영. o'clock) ; um wie viel Uhr? 몇 시에? ② 시계 (영. watch, clock)

Ulla [고유명사] (여자 이름) 울라

Ulrike [고유명사] (여자 이름) 울리케

um [*4격* 전치사] ① (위치) ~주위에 (빙 둘러) (영. around) ② 「um ... Uhr」 (시각) ...시에

Umgebung, *die* (복수: die Umgebung***en***) 주변, 주위

Umlaut, *der* (복수: die Umlaut***e***) 변모음, 움라우트

Umwelt, *die* (복수: die Umwelt***en***, 보통 ***단수*** 사용!) 환경

Umweltprojekt, *das* (복수: die Umweltprojekt***e***) 친환경 프로젝트

unbedingt [형용사] 무조건의 ; (부사적) 무조건, 무조건적으로

und [대등접속사] 그리고 (영. and)

unerklärbar [형용사] 설명할 수 없는

Unfall, *der* (복수: die Unf**ä**ll*e*) 사고

ungefähr [부사어] 대략, 약

unglücklich [형용사] 불행한, 운이 안 좋은

ungünstig [형용사] 여건이 좋지 않은, 불리한

unhöflich [형용사] 무례한, 공손하지 못한 ; (부사적) 무례하게

Uni, *die* (복수: die Uni*s*) (구어체) 대학, 대학교 (= Universität)

Universität, *die* (복수: die Universität*en*) 대학, 대학교

Universitätsstraße, *die* (지명, 거리 명) 대학로

Unordnung, *die* (복수: die Unordnung*en*) 무질서, 정돈되지 않음

uns ① 인칭대명사 wir('우리는')의 ***3격*** 혹은 ***4격*** 형 (영. us)
② 주어가 ***wir***일 때의 ***3격*** 및 ***4격*** 재귀대명사 (영. ourself)

unser- [소유대명사] '우리의 ...' (영. our)

unten [부사어] 아래에, 아래에서

unter [***3 · 4격*** 전치사] ① (***3격***: 위치) ~아래에 ② (***4격***: 방향) ~아래로 (영. under)

unterhält ⇒ 동사 unterhalten의 현재 시제: 주어가 ***er***, ***sie***, ***es***일 때

unterhalten [***4격*** 재귀동사] : 「sich[4] mit j-m. über etw.[4] (혹은 von etw.[3]) unterhalten」 누구와 무엇에 관해 이야기를 나누다

* 3 기본형: *unter***halten** - *unter***hielt** - *unter***halten**
형태가 ***unter-*** 이므로 pp형에서 ge- 탈락!

* 현재 시제, 단수 2, 3인칭 불규칙 변화: du unterh**ä**lt*st* ; er unterh**ä**l*t*

unterhalten ⇒ 동사 unterhalten의 과거분사(= pp형)

unterhältst ⇒ 동사 unterhalten의 현재 시제: 주어가 ***du***일 때

unterhielt ⇒ 동사 unterhalten의 과거형

Unternehmen, *das* (복수: die Unternehmen) 사업, 기업

Unterricht, *der* (복수: die Unterricht*e*) 수업

unterrichten [타동사] : 「etw.[4] unterrichten」 무엇을 가르치다 ; 「j-n. unterrichten」 누구를 가르치다

* 3 기본형 규칙 변화: *unter*richt***en*** - *unter*richt***ete*** - *unter*richte***t***
형태가 ***unter-*** 이므로 pp형에서 ge- 탈락!

unterschreiben [타동사/자동사] (...에) 서명하다 (영. sign)

* 3 기본형: *unter***schreiben** - *unter***schrieb** - *unter***schrieben**
형태가 ***unter-*** 이므로 pp형에서 ge- 탈락!

unterstützen [타동사] ..을 지지하다, 후원(원조)하다 (영. support)

* 3 기본형 규칙 변화: *unter*stütz***en*** - *unter*stütz***te*** - *unter*stütz***t***
형태가 ***unter-*** 이므로 pp형에서 ge- 탈락!

untersuchen [타동사]

① ...을 조사하다 ② ...을 진찰하다 ; 「sich[4] untersuchen lassen」 진찰받다

* 3 기본형 규칙 변화: *unter*such***en*** - *unter*such***te*** - *unter*such***t***
형태가 ***unter-*** 이므로 pp형에서 ge- 탈락!

Untersuchung, *die* (복수: die Untersuchung***en***) 조사, 검사, 진찰

Urlaub, *der* (복수: die Urlaub***e***) 휴가, 휴가 여행 ; Urlaub machen 휴가를 갖다

Urlaubstag, *der* (복수: die Urlaubstag***e***) 휴가일

USA, *die* (항상 ***복수***임!) 미국 (= die Vereinigten Staaten von Amerika 미합중국)

Ute [고유명사] (여자 이름) 우테

Vater, *der* (복수: die V**ä**ter) 아버지

Verabredung, *die* (복수: die Verabredung***en***) (만날) 약속 ;
eine Verabredung haben 만날 약속이 있다

verbieten [타동사] ...을 금지하다

* 3 기본형: *ver***bieten** - *ver***bot** - *ver***boten**
형태가 ***ver-*** 이므로 pp형에서 ge- 탈락!

verboten [형용사] 금지된 ※동사 verbieten의 과거분사(= pp형)

verbracht ⇒ verbringen의 과거분사(= pp형)

verbrachte ⇒ verbringen의 과거형

verbrechen [타동사] (범죄 행위 등) ...을 저지르다

* 3 기본형: *ver***brechen** - *ver***brach** - *ver***brochen**
형태가 ***ver-*** 이므로 pp형에서 ge- 탈락!

Verbrechen, *das* (복수: die Verbrechen) 범죄, 범죄 행위

verbringen [타동사] (시간을) 보내다

* 3 기본형: *ver***bringen** - *ver***brachte** - *ver***bracht**
형태가 ***ver-*** 이므로 pp형에서 ge- 탈락!

verdienen [타동사/자동사] (돈을) 벌다

* 3 기본형 규칙 변화: *ver*dien***en*** - *ver*dien***te*** - *ver*dien***t***
형태가 ***ver-*** 이므로 pp형에서 ge- 탈락!

vereinigen [타동사] ...을 합치다, 통일하다 ;

「etw.[4] wieder vereinigen」 *무엇을* 다시 합치다, *무엇을* 재통일하다

* 3 기본형 규칙 변화: *ver*einig***en*** - *ver*einig***te*** - *ver*einig***t***
형태가 ***ver-*** 이므로 pp형에서 ge- 탈락!

Vereinigung, *die* (복수: die Vereinigung***en***) 통일, 통합

vergaß ⇒ 동사 vergessen의 과거형

vergessen [타동사] ...을 잊다, 망각하다 (영. forget)

* 3 기본형: **vergessen** - **vergaß** - **vergessen**

* 현재 시제, 단수 2, 3인칭 불규칙 변화: du verg<u>i</u>ss*t* ; er verg<u>i</u>ss*t*

vergessen ⇒ 동사 vergessen의 과거분사 (= pp형)

vergiss ⇒ 동사 vergessen의 ***du***-명령문 형태

vergisst ⇒ 동사 vergessen의 현재 시제: 주어가 ***du*** 혹은 ***er***, ***sie***, ***es***일 때

verhält ⇒ 동사 verhalten의 현재 시제: 주어가 ***er***, ***sie***, ***es***일 때

verhalten [*4격* 재귀동사] : 「sich[4] ... verhalten」 ...한 태도를 취하다, ...하게 행동하다

* 3 기본형: *ver***halten** - *ver***hielt** - *ver***halten**
형태가 ***be-*** 이므로 pp형에서 ge- 탈락!

* 현재 시제, 단수 2, 3인칭 불규칙 변화: du verh<u>ä</u>lts*t* ; er verh<u>ä</u>l*t*

verheiratet [형용사] 결혼한, 기혼인

verkaufen [타동사] ...을 팔다, 판매하다

* 3 기본형 규칙 변화: *ver*kauf***en*** - *ver*kauf***te*** - *ver*kauf***t***
형태가 ***ver-*** 이므로 pp형에서 ge- 탈락!

Verkehr, *der* (복수: die Verkehr*e*, 보통 ***단수*** 사용!) 교통

Verkehrsstau, *der* (복수: die Stau*s* 혹은 Stau*e*) 교통 체증

verlangen [타동사] ...을 요구하다, 청구하다 (영. demand)

* 3 기본형 규칙 변화: *ver*lang***en*** - *ver*lang***te*** - *ver*lang***t***
형태가 ***ver-*** 이므로 pp형에서 ge- 탈락!

verlassen [타동사] ...을 떠나다 (영. leave)

* 3 기본형: *ver***lassen** - *ver***ließ** - *ver***lassen**
형태가 ***ver-*** 이므로 pp형에서 ge- 탈락!

* 현재 시제, 단수 2, 3인칭 불규칙 변화: du verläss*t* ; er verläss*t*

verletzen [타동사] ① ...을 해치다, 상처를 입히다 ② (명예, 이익 등을) 침해하다 ③ (규정, 원칙 등을) 위반하다

* 3 기본형 규칙 변화: *ver*letz***en*** - *ver*letz***te*** - *ver*letz***t***
형태가 ***ver-*** 이므로 pp형에서 ge- 탈락!

verletzt [형용사] 다친, 부상당한 ※동사 verletzen의 과거분사(= pp형)

Verletzt- 부상자, 피해자 ※형용사 verletzt의 명사화!

남성 변화: *der* Verletzt***e*** / ein Verletzt***er*** 남자 부상자

여성 변화: *die* Verletzt***e*** / eine Verletzt***e*** 여자 부상자

복수 변화: *die* Verletzt***en*** / Verletzt***e*** 부상자들

verlieren [타동사] ...을 잃어버리다, 분실하다

* 3 기본형: **verlieren** - **verlor** - **verloren**

verlor ⇒ 동사 verlieren의 과거형

verloren ⇒ 동사 verlieren의 과거분사(= pp형)

Verlust, *der* (복수: die Verlust*e*) 손해, 손실, 분실

vermieten [타동사] ...을 임대 놓다, 세놓다

* 3 기본형 규칙 변화: *ver*miet***en*** - *ver*miet***ete*** - *ver*miet***et***
형태가 ***ver-*** 이므로 pp형에서 ge- 탈락!

veröffentlichen [타동사] ① ...을 출판하다 ② ...을 널리 알리다, 발표하다

* 3 기본형 규칙 변화: *ver*öffentlich***en*** - *ver*öffentlich***te*** - *ver*öffentlich***t***
형태가 ***ver-*** 이므로 pp형에서 ge- 탈락!

verpassen [타동사] ...을 놓치다 (영. miss)

* 3 기본형 규칙 변화: *ver*pass***en*** - *ver*pass***te*** - *ver*pass***t***
형태가 ***ver-*** 이므로 pp형에서 ge- 탈락!

verreisen [자동사] 여행을 하다, 여행을 떠나다

※***장소 이동*** 자동사 → 완료형 「***sein*** ... pp」

* 3 기본형 규칙 변화: *ver*reis***en*** - *ver*reis***te*** - *ver*reis***t***
형태가 ***ver-*** 이므로 pp형에서 ge- 탈락!

verrückt [형용사] 미친, 정신 나간

verspäten [***4격*** 재귀동사] : 「sich[4] verspäten」 늦다, 지각하다

* 3 기본형 규칙 변화: *ver*spät***en*** - *ver*spät***ete*** - *ver*spät***et***
형태가 ***ver-*** 이므로 pp형에서 ge- 탈락!

Verspätung, *die* (복수: die Verspätung***en***) 늦어짐, 늦게 옴, (교통수단의) 연착

※동사 verspäten의 명사형!

versprechen [타동사] ...을 약속하다

* 3 기본형: *ver***sprechen** - *ver***sprach** - *ver***sprochen**
형태가 ***ver-*** 이므로 pp형에서 ge- 탈락!

* 현재 시제, 단수 2, 3인칭 불규칙 변화: du versprich*st* ; er versprich*t*

Versprechen, *das* (보통 ***단수*** 사용!) 약속, 약속하기 ※동사 versprechen의 명사화!

versprochen ⇒ 동사 versprechen의 과거분사(= pp형)

verstand ⇒ 동사 verstehen의 과거형

verstanden ⇒ 동사 verstehen의 과거분사(= pp형)

verstehen [타동사] ...을 이해하다, 알아듣다 (영. understand)

* 3 기본형: *ver***stehen** - *ver***stand** - *ver***standen**
형태가 ***ver-*** 이므로 pp형에서 ge- 탈락!

versuchen [타동사] ...을 노력하다, 시도하다 (영. try)

* 3 기본형 규칙 변화: *ver*such***en*** - *ver*such***te*** - *ver*such***t***
형태가 ***ver-*** 이므로 pp형에서 ge- 탈락!

Vertrag, *der* (복수: die Vertr**ä**g***e***) 계약, 조약

Verwaltung, *die* (복수: die Verwaltung***en***) 행정 관청, 관리 당국

verwandt [형용사] 친척 관계인

Verwandt- 친척 ※형용사 verwandt의 명사화

남성 변화: *der* Verwandt*e* / ein Verwandt*er* 남자 친척

여성 변화: *die* Verwandt*e* / eine Verwandt*e* 여자 친척

복수 변화: *die* Verwandt*en* / Verwandt*e* 친척들

viel

① [형용사] 「viel + *단수*명사(셀 수 없는 명사) 」 '많은 ...' (영. much) ;

② [부사어] 「viel + 비교급」 '훨씬 더 ...' (영. 「much + 비교급」)

* 3 비교형: viel, viele - ***mehr*** - ***meist***

viele [형용사] 「viele + *복수*명사」 '많은 ...들' (영. many)

* 3 비교형: viel, viele - ***mehr*** - ***meist***

vieles [부정대명사] 많은 것 (*단수* 취급!)

vielleicht [부사어] 아마도 (영. perhaps)

vier [수사] 4, 넷

Vier, *die* (복수: die Vier*en*) 평점 4

vier*t*- [수사: *서수*] 넷째의, 제4의

Viertel, *das* (복수: die Viertel) 1/4 ("4분의 1") ;

Viertel vor sieben 7시 15분전 ; Viertel nach sieben 7시 15분

vierzehn [수사] 14

vierzig [수사] 40

Visum, *das* (복수: die Vis*a* 혹은 Vis*en*) 비자, (여권의) 사증

Vogel, *der* (복수: die V**ö**gel) 새 (영. bird)

Vokabel, *die* (복수: die Vokabel*n*) (외국어의) 단어, 낱말

vom ⇒ "von dem"의 축약형

von [*3격* 전치사] ① ~로부터 (영. from) ② ~의 (영. of)

vor [*3・4격* 전치사] ① (*3격*: 위치) ~앞에 ② (*3격*: 시간) ~전에 ③ (*4격*: 방향) ~앞으로

vorangehen (분리동사: gehen ... *voran*) [자동사] 앞으로 나가다, 전진하다 ;
「mit etw.[3] gut (혹은 schlecht) *voran*gehen」 *무엇*에 있어서 잘 해나가다 (잘못 해나가다)
※*장소 이동* 자동사 → 완료형 「***sein*** ... pp」
* 3 기본형: *voran***gehen** - *voran***ging** (**ging** ... *voran*) - *voran***gegangen**

vorankommen (분리동사: kommen ... *voran*) [자동사] 앞으로 나가다
※*장소 이동* 자동사 → 완료형 「***sein*** ... pp」
* 3 기본형: *voran***kommen** - *voran***kam** (**kam** ... *voran*) - *voran***gekommen**

vorbei [분리전철&부사어] 지나간 : 「etw.[주어] ist vorbei」 *무엇*이 지나가다, 끝나다

vorbeischauen (분리동사: schauen ... *vorbei*) [자동사] : 「bei j-m. *vorbei*schauen」 *누구*의 집에 잠시 들르다 = 「bei j-m. *vorbei*kommen」
* 3 기본형 규칙 변화:
*vorbei*schau***en*** - *vorbei*schau***te*** (schau***te*** ... *vorbei*) - *vorbei****ge***schau***t***

vorgeschlagen ⇒ 분리동사 *vor*schlagen의 과거분사(= pp형)

vorhaben (분리동사: haben ... *vor*) [타동사] ...을 계획하다
* 3 기본형: *vor***haben** - *vor***hatte** (**hatte** ... *vor*) - *vor***gehabt**

vorher [부사어] (시간적) 그에 앞서, 그 이전에

vorhin [부사어] (시간적) 아까, 전에

vorlesen (분리동사: lesen ... *vor*) [타동사] ...을 낭독하다, 강연하다, 강의하다 ;
「j-m. etw.[4] *vor*lesen」 *누구*에게 *무엇*을 읽어주다
* 3 기본형: *vor***lesen** - *vor***las** (**las** ... *vor*) - *vor***gelesen**
* 현재 시제, 단수 2, 3인칭 불규칙 변화: du l<u>ie</u>s*t* ... *vor* ; er l<u>ie</u>s*t* ... *vor*

Vorlesung, *die* (복수: die Vorlesung***en***) (대학에서의) 강의

Vormittag, *der* (복수: die Vormittag***e***) 오전 ; am Vormittag 오전에

vorn(e) [부사어] 앞에, 앞에서 ; da vorn(e) 저기 앞에

Vorschlag, *der* (복수: die Vorschl**ä**g***e***) 제안, 제의

vorschlagen (분리동사: schlagen ... *vor*) [타동사] ...을 제안하다
* 3 기본형: *vor***schlagen** - *vor***schlag** (**schlag** ... *vor*) - *vor***geschlagen**
* 현재 시제, 단수 2, 3인칭 불규칙 변화: du schl<u>**ä**</u>g*st* ... *vor* ; er schl<u>**ä**</u>g*t* ... *vor*

vorsichtig [형용사] 조심스러운, 주의 깊은, 신중한 ; (부사적) 조심스럽게

vorstellen (분리동사: stellen ... *vor*)

① [타동사] : 「j-m. etw.[4] (j-n.) *vor*stellen」 *누구*에게 *무엇*을(*누구*를) 소개하다

② [*3격* 재귀동사] : 「sich[3] etw.[4] *vor*stellen」 *무엇*을 상상하다

* 3 기본형 규칙 변화: *vor*stell***en*** - *vor*stell***te*** (stell***te*** ... *vor*) - *vor**ge***stell***t***

Vorstellung, *die* (복수: die Vorstellung***en***) ① 공연, 전시 ② 소개, 면접

Voß [고유명사] (가족 이름, 성) 포스

wach [형용사] 깨어 있는, 잠들지 않은

wachen [자동사] (문어체) (잠들지 않고) 깨어 있다

* 3 기본형 규칙 변화: wach***en*** - wach***te*** - ***ge***wach***t***

wachsen [자동사] 자라다, 성장하다

※***상태 변화*** 자동사 → 완료형 「***sein*** ... pp」

* 3 기본형: **wachsen** - **wuchs** - **gewachsen**

* 현재 시제, 단수 2, 3인칭 불규칙 변화: du w**ä**ch*st* ; er w**ä**chs*t*

Wachstum, *das* (***복수 없음!***) 성장

Wagen, *der* (복수: die Wagen) 자동차

wählen [타동사] ...을 고르다, 선택하다

* 3 기본형 규칙 변화: wähl***en*** - wähl***te*** - ***ge***wähl***t***

wahr [형용사] 참된, 진실의

während [*2격* 전치사] ~동안에 (영. during, for)

Wahrheit, *die* (복수: die Wahrheit***en***) 진리, 진실, 사실

wahrscheinlich

① [부사어] (가능성 있는 추측) 아마도 (영. probably)

② [형용사] 가능성 있는, 실현 확률이 높은

Wald, *der* (복수: die W**ä**ld***er***) 숲

Walter [고유명사] (남자 이름) 발터

Wand, *die* (복수: die Wänd*e*) 벽 (영. wall)

wann [의문사] 언제? (영. when?)

war ⇒ 동사 sein의 과거형

wäre ⇒ 동사 sein의 접속법 II 형태

warm [형용사] 따뜻한 ; (부사적) 따뜻하게

warnen [타동사] ...에게 경고하다 ; 「j-n. vor etw.[3] warnen」 *누구*에게 *무엇*에 대해 경고하다

* 3 기본형 규칙 변화: warn***en*** - warn***te*** - ***ge***warn***t***

warten [자동사] 기다리다 ; 「auf etw.[4] warten」 *무엇*을 기다리다

* 3 기본형 규칙 변화: wart***en*** - wart***ete*** - ***ge***wart***et***

warum 왜? (영. why?)

was [의문사] 무엇이?, 무엇을? (영. what?)

was [부정대명사] 뭔가 ※부정대명사 etwas의 구어체!

was [관계대명사] 선행사가 부정대명사 등일 경우, 혹은 앞 문장 내용 전체 혹은 일부를 받을 경우의 관계대명사 (영. that)

was für (ein-) ...? [의문사] 어떤 종류의 ...? 어떤 ...? (영. what kind of ...?)

Wäsche, *die* (복수: die Wäsche***n***) 속옷, 내의

waschen

① [타동사] ...을 씻다, 세탁하다

② [타동사] 「j-m. etw.[4] waschen」 *누구*에게 *무엇*을 씻어주다

③ [***4격*** 재귀동사] 「sich[4] waschen」 몸을 씻다, 목욕하다

④ [***3격*** 재귀동사] 「sich[3] etw.[4] waschen」 (몸의 한 부분인) *무엇*을 씻다

* 3 기본형: **waschen - wusch - gewaschen**

* 현재 시제, 단수 2, 3인칭 불규칙 변화: du wäsch*st* ; er wäsch*t*

Wasser, *das* (복수: die Wasser 혹은 Wässer, 물질명사로서 보통 ***단수*** 사용!) 물

wecken [타동사] : 「j-n. wecken」 *누구*를 (잠에서) 깨우다

* 3 기본형 규칙 변화: weck***en*** - weck***te*** - ***ge***weck***t***

Wecker, *der* (복수: die Wecker) 알람시계, 자명종

weg [분리전철&부사어] 떠난, 멀리 (영. away)

wegen [***2격*** 전치사] ~때문에 (영. because of ...)

weggehen (분리동사: gehen ... *weg*) [자동사] 떠나다 (영. go away)
※***장소 이동*** 자동사 → 완료형「***sein*** ... pp」
* 3 기본형: *weg***gehen** - *weg***ging** (**ging** ... *weg*) - *weg***gegangen**

Weihnachten (보통 관사 없음!) 크리스마스 ; zu Weihnachten 크리스마스에

weil [종속접속사] ...이기 때문에 (영. because)

Wein, *der* (복수: die Wein***e***, 물질명사로서 보통 ***단수*** 사용!) 포도주

weinen [자동사] 울다 (영. cry, weep)
* 3 기본형 규칙 변화: wein***en*** - wein***te*** - ***ge***wein***t***

weiß [형용사] 흰색의

weiß ⇒ 동사 wissen의 현재 시제: 주어가 ***ich*** 혹은 ***er***, ***sie***, ***es***일 때

weißt ⇒ 동사 wissen의 현재 시제: 주어가 ***du***일 때

weit [형용사] ① (거리) 먼 ; wie weit? 얼마나 먼? (영. how far?) ② (넓이) 넓은, 큰

weiter [부사어] 계속해서 (형용사 weit의 비교급 형태로서 독립된 부사어로 굳어짐!)

welch- [의문사] 어떤 ...? ※welch-는 ***정관사 d-*** 어미변화 함! (영. which ...?)

Welt, *die* (복수: die Welt***en***) 세계

Weltkrieg, *der* (복수: die Weltkrieg***e***) 세계 대전 ;
der Zweite Weltkrieg 제2차 세계 대전

Weltreise, *die* (복수: die Weltreise***n***) 세계 여행

wem [의문사] 누구에게? (의문사 wer의 ***3격*** 형)

wen [의문사] 누구를? (의문사 wer의 ***4격*** 형)

wenig [형용사] 적은 ; (부사적) 적게 ; ein wenig 어느 정도, 약간
* 3 비교형: wenig - wenig***er*** 혹은 ***minder*** - wenig***st*** 혹은 ***mindest***

wenn [종속접속사] ...일 경우, 만약 ...라면 (영. when, if)

wer [의문사] 누가? (영. who?)

wer [관계대명사] ...하는 사람 (영. who)

werden

① [자동사] (동사 sein처럼 ***형용사*** 혹은 ***명사 보어***와 함께) '... 되다' (영. become)

② [조동사] 미래 시제 형식 「***werden*** ... 동사 원형」 에 사용됨.

③ [조동사] 수동문 형식 「***werden*** ... pp」 에 사용됨.

※완료형 「***sein*** ... pp」

* 3 기본형: **werden** - **wurde** - **geworden**, **worden**

* 현재 시제, 단수 2, 3인칭 불규칙 변화: du **wirst** ; er **wird**

Werkstatt 혹은 Werkstätte, *die* (복수: die Werkstätt***en***, 보통 ***단수*** 사용!) (자동차 등의) 정비 공장

Werner [고유명사] (남자 이름) 베르너

wessen [의문사] 누구의 ...? (의문사 wer의 ***2격*** 형) (영. whose ...?)

Wetter, *das* (복수: die Wetter, 보통 ***단수*** 사용!) 날씨

Wetterbericht, *der* (복수: die Wetterbericht***e***) 일기예보

wichtig [형용사] 중요한

wie [의문사] 어떻게? (영. how?)

wieder [분리전철&부사어] 다시, 반복해서 (영. again)

wiederholen [타동사] ...을 반복하다, 되풀이하다 ※wieder-는 분리전철 ***아님!***

* 3 기본형 규칙 변화: *wieder*hol***en*** - *wieder*hol***te*** - *wieder*hol***t***

형태가 ***wieder-*** 이므로 pp형에서 ge- 탈락!

wiederkommen (분리동사: kommen ... *wieder*) [자동사] 다시 오다

※***장소 이동*** 자동사 → 완료형 「***sein*** ... pp」

* 3 기본형: *wieder***kommen** - *wieder***kam** (**kam** ... *wieder*) - *wieder***gekommen**

wiedervereinigt [형용사] 재통일된 ※동사 wieder vereinigen의 과거분사(= pp형)

Wiedervereinigung, *die* (복수: die Wiedervereinigung***en***) 통일, 재통일

Wien [고유명사] (도시 명) 비인 (오스트리아의 수도)

wild [형용사] ① 거친, 사나운 ② 야생의

will ⇒ 화법조동사 wollen의 현재 시제: 주어가 ***ich*** 혹은 ***er***, ***sie***, ***es***일 때

willst ⇒ 화법조동사 wollen의 현재 시제: 주어가 ***du***일 때

Winter, *der* (복수: die Winter, 보통 ***단수*** 사용!) 겨울 ; im Winter 겨울에

Wintermantel, *der* (복수: die Wintermäntel) 겨울 외투

Wintersport, *der* (복수: die Wintersport*e*, 보통 *단수* 사용!) 겨울 스포츠

wir [인칭대명사] 우리는, 우리가 (영. we)

wird ⇒ 동사 werden의 현재 시제: 주어가 ***er***, ***sie***, ***es***일 때

wirklich [형용사] 현실의, 실제의 ; (부사적) 정말로 (영. real, really)

wirst ⇒ 동사 werden의 현재 시제: 주어가 ***du***일 때

Wirtschaft, *die* (복수: die Wirtschaft***en***, 보통 *단수* 사용!) 경제

Wirtschaftswachstumsrate, *die* (복수: die Wirtschaftswachstumsrate***n***) 경제 성장률

wissen [타동사] ...을 알다 (영. know)

* 3 기본형: **wissen - wusste - gewusst**
* 현재 시제, 단수에서 불규칙 변화: ich **weiß** ; du **weiß*t*** ; er (sie, es) **weiß** ; wir wiss*en* ; ihr wiss*t* ; sie, Sie wiss*en*

Wissenschaft, *die* (복수: die Wissenschaft***en***) 학문

Wissenschaftler, *der* (복수: die Wissenschaftler) 학자, 과학자

wo [의문사] 어디에?, 어디에서? (영. where?)

wo [관계부사] 시간적 혹은 공간적 의미의 관계부사 (영. where, when)

wobei ⇒ 「전치사 bei + 의문사 was」

Woche, *die* (복수: die Woche***n***) 주, 주일 ; nächste Woche 다음 주에

Wochenende, *das* (복수: die Wochenende***n***) 주말 ; am Wochenende 주말에

Wochentag, *der* (복수: die Wochentag***e***) 평일, 근무일

wofür ⇒ 「전치사 für + 의문사 was」

woher [의문사] 어디로부터?

wohin [의문사] 어디로?

wohl ① [부사어] (추측) 아마도 (영. probably) ② [형용사] 컨디션 좋은 (영. well)

Wohlstand, *der* (***복수 없음 !***) 복지

wohnen [자동사] 거주하다, 살다

* 3 기본형 규칙 변화: wohn***en*** - wohn***te*** - ***ge***wohn***t***

Wohnung, *die* (복수: die Wohnung***en***) 아파트, 집

Wolfgang [고유명사] (남자 이름) 볼프강

Wolke, *die* (복수: die Wolke*n*) 구름

wollen [화법조동사] (의지) ...하려고 하다 (영. will)

* 3 기본형: **wollen - wollte - gewollt, wollen**

* 현재 시제, 주어가 단수일 때 불규칙 변화: ich **will** ; du **will***st* ; er (sie, es) **will** ; wir woll*en* ; ihr woll*t* ; sie, Sie woll*en*

wollte ⇒ ① 화법조동사 wollen의 과거형 ② 화법조동사 wollen의 접속법 II 형태

womit ⇒「전치사 mit + 의문사 was」

woran ⇒「전치사 an + 의문사 was」

worauf ⇒「전치사 auf + 의문사 was」

worden ⇒ 수동문의 조동사 werden의 과거분사(= pp형)

Wort, *das* (복수: die W**ö**rt***er*** '단어들' 혹은 Wort***e*** '말') 낱말, 단어

Wörterbuch, *das* (복수: die Wörterb**ü**ch***er***) 사전

Wortschatz, *der* (보통 *단수* 사용!) (한 언어의) 어휘

worüber ⇒「전치사 über + 의문사 was」

wovon ⇒「전치사 von + 의문사 was」

wuchs ⇒ 동사 wachsen의 과거형

Wunsch, *der* (복수: die W**ü**nsch***e***) 소원, 소망

wünschen

① [타동사] : etw.[4] wünschen *무엇을* 소원하다

② [타동사] :「j-m. etw.[4] wünschen」 *누구*에게 *무엇을* 기원하다

③ [*3격* 재귀동사] :「sich[3] etw.[4] wünschen」 *무엇을* (자신이 갖기를) 바라다, 소원하다

* 3 기본형 규칙 변화: wünsch***en*** - wünsch***te*** - ***ge***wünsch***t***

wurde ⇒ 동사 werden의 과거형

würde ⇒ 동사 werden의 접속법 II 형태

Würzburg [고유명사] (도시 명) 뷔르츠부르크

wusste ⇒ 동사 wissen의 과거형

wütend [형용사] 격분한

Z

Zahl, *die* (복수: die Zahl***en***) 수, 숫자

zahlen [타동사/자동사] (...을) 지불하다

* 3 기본형 규칙 변화: zahl***en*** - zahl***te*** - ***ge***zahl***t***

Zahn, *der* (복수: die Zä*hn**e***) 이빨, 치아

zehn [수사] 10, 열

zehn*t*- [수사: *서수*] 열 번째의, 제10의

zeigen [타동사] ...을 보여주다 (영. show) ; 「j-m. etw.[4] zeigen」 *누구*에게 *무엇*을 보여주다

* 3 기본형 규칙 변화: zeig***en*** - zeig***te*** - ***ge***zeig***t***

Zeit, *die* (복수: die Zeit***en***, 보통 *단수* 사용!) 시간, 시대

Zeitschrift, *die* (복수: die Zeitschrift***en***) 잡지, 정기 간행물

Zeitung, *die* (복수: die Zeitung***en***) 신문

Zentimeter, *der* 혹은 *das* (복수: die Zentimeter) (길이 단위) 센티미터 (cm)

Zentrum, *das* (복수: die Zentr***en***) 센터, 중심(지)

zerstören [타동사] ...을 (산산조각 나게) 파괴하다

* 3 기본형 규칙 변화: *zer*stör***en*** - *zer*stör***te*** - *zer*stör***t***

형태가 ***zer-*** 이므로 pp형에서 ge- 탈락!

Zettel, *der* (복수: die Zettel) 쪽지, 메모

-zeug, *das* (복수: die Zeug***e***) ...를 위한 물건, ...한 것

ziehen

① [타동사] ...을 끌다 (영. drag, pull) ※완료형 「***haben*** ... pp」

② [자동사] 이주하다 ※*장소 이동* 자동사 → 완료형 「***sein*** ... pp」; Immer mehr Menschen ziehen in die Stadt. "도시로 이주하는 사람들이 점점 더 많아지고 있다."

* 3 기본형: **ziehen - zog - gezogen**

Ziel, *das* (복수: die Ziel***e***) 목표, 목적

ziemlich [부사어] 상당히, 꽤

Zigarette, *die* (복수: die Zigarette***n***) 담배

Zimmer, *das* (복수: die Zimmer) 방

Zimmermann [고유명사] (가족 이름, 성) 침머만

Zivilisation, *die* (복수: die Zivilisation***en***) 문명, 문명사회

zu [*3격* 전치사] ~로 (영. to)

zu

① [부사어] : 「zu + 형용사(부사)」 '너무 ...한', '너무 ...하게' (영. too ...)

② [분리전철&부사어] 닫힌, 닫혀 (영. shut)

③ [분리전철&부사어] 향해, 향해서 (영. towards)

zu [접속사] ***zu***-부정사 형식「... zu + 동사 원형」에 사용됨. (영. 「to + 동사 원형 ...」)

zuerst [부사어] 첫째로, 맨 먼저

zufällig [형용사] 우연한 ; (부사적) 우연히

zufrieden [형용사] 만족한 ; 「mit etw.[3] zufrieden sein」 *무엇*에 만족하다

Zug, *der* (복수: die Zü*g**e***) 기차, 열차

zuhören (분리동사: hören ... *zu*) [자동사] 듣다, 경청하다

* 3 기본형 규칙 변화: *zu*hör***en*** - *zu*hör***te*** (hör***te*** ... *zu*) - *zu*hör***t***

Zukunft, *die* (복수: die Zukünft***e***, 보통 *단수* 사용!) 미래, 장래

Zulassung, *die* (복수: die Zulassung***en***) 입학 허가

zum ⇒ "zu dem"의 축약형

zur ⇒ "zu der"의 축약형

zurück [분리전철&부사어] 되돌아서, 다시 (영. back) ; 「j-d.[주어] ist zurück」 *누구*는 돌아와 있다

zurückbringen (분리동사: bringen ... *zurück*) [타동사] ...을 되돌려주다 (영. bring back)

* 3 기본형: *zurück***bringen** - *zurück***brachte** (**brachte** ... *zurück*) - *zurück***gebracht**

zurückgeben (분리동사: geben ... *zurück*) [타동사] ...을 돌려주다, 반납하다 (영. give back)

* 3 기본형: *zurück***geben** - *zurück***gab** (**gab** ... *zurück*) - *zurück***gegeben**

* 현재 시제, 단수 2, 3인칭 불규칙 변화: du gib*st* ... *zurück* ; er gib*t* ... *zurück*

zurückgegeben ⇒ 분리동사 zurückgeben의 과거분사(= pp형)

zurückgehen (분리동사: gehen ... *zurück*) [자동사] 되돌아가다 (영. go back)

※*장소 이동* 자동사 → 완료형「***sein*** ... pp」

* 3 기본형: *zurück***gehen** - *zurück***ging** (**ging** ... *zurück*) - *zurück***gegangen**

zurückgekommen ⇒ 분리동사 *zurück*kommen의 과거분사(= pp형)

zurückkommen (분리동사: kommen ... *zurück*) [자동사] 되돌아오다 (영. come back)

※*장소 이동* 자동사 → 완료형「***sein*** ... pp」

* 3 기본형: *zurück***kommen** - *zurück***kam** (**kam** ... *zurück*) - *zurück***gekommen**

zurzeit [부사어] 지금, 현재 (영. at the moment)

zusammen [분리전철&부사어] 함께 (영. together) ;

「j-d.[주어] ist mit j-m. zusammen」 누구는 누구와 함께 한다

zusammenarbeiten (분리동사: arbeiten ... *zusammen*) [자동사] 함께 일하다, 협력하다

* 3 기본형 규칙 변화:

*zusammen*arbeit***en*** - *zusammen*arbeit***ete*** (arbeit***ete*** ... *zusammen*) -

*zusammen****ge***arbeit***et***

zwanzig [수사] 20

zwar [부사어] :「zwar ... , aber ... 」 비록 ...이긴 하지만 ...이다

zwei [수사] 2, 둘

zweimal [부사어] 두 번

zwei*t*- [수사: *서수*] 둘째의, 제2의

zwischen [***3 · 4격*** 전치사] ① (***3격***: 위치) ~사이에 ② (***4격***: 방향) ~사이로 (영. between, among)

zwölf [수사] 12